KB103837

스 페 이 스

스페이스

독토리 지음

추천의 글

지난 겨울 이맘때 2023년 독토리 학생들의 선생님을 어느 분으로 모셔야할까 고민이 아주 컸습니다. 왜냐하면 외삼의 '독토리' 동아리는 책을 읽고, 토론하고, 글쓰기 작가의 길까지 함께하는 깊이있는 모임이기 때문입니다.

'우주를 누비며 다정을 전하는 중'의 작가 박주희 선생님은 독토리 동아리 학생들을 '깊고 푸른 우주 스페이스'로 데려가 주셨군요. 감사드립니다.

올해 독토리에서 낼 책의 제목이 '스페이스'라는 얘길 듣고 보기만 해도 아름다움에 탄성을 내지르는 공간을 떠올렸습니다. 보랏빛과 푸른빛의 우주에 가득 반짝이는 별들. 독토리의 <스페이스>가 여러분의 풍경에 고운 별빛을 흩뿌려줄 수 있다면 얼마나 좋을까요.

지금 우리가 발 디디고 있는 곳이 꽃길이 아니더라도, 다만 우리가 고개 들어 하늘을 볼 수 있다는 것, 당장은 구름이 가득하고 비가 내리더라도 저 너머에는 파란 하늘이 있다는 것, 밤에는 반짝이는 별들이 있다는 것. 그것에 위안을 얻고 희망을 그려나갔으면 합니다. 나를 좀 더 밝은 쪽으로 두고, 내가 할 수 있는 상상을 하고 찬찬히 걸음해 봅시다. 여러분이 걷는 걸음걸음이 여러분의 스페이스를 넓혀나갈 것입니다. 여러분의 우주는 분명히 엄청나게 커질 거예요. 꿈꾸는 여러분을 응원합니다.

대전외삼중학교 교장 양미연

제1부 에세이의 공간

제2부 시의 공간

제3부 소설의 공간

들어가는 말

책을 좋아하는 마음 하나로 중학교 1학년부터 3학년까지 모였습니다. 책 디자인에 관심 많은 사람도 있고, 일러스트를 눈여겨보는 사람도 있습니다. 제목의 의미를 숙고하는 사람도 있고, 책 읽는 경험 자체를 즐겨하는 사람도 있습니다. 소설의 세계에 푹 몸 담그기를 좋아하는 사람도 있고, 좋은 시를 좇는 사람도 있습니다. 자기만의 세계를 창조하는 걸 즐기는 사람도 있고, 내 주위에서 일어나는 일을 관찰해 기록하는 사람도 있습니다. 이렇게 다른 사람들이 각자의 이야기를 풀어내고, 다른 사람의 이야기에 귀 기울이는 아름다운 한때를 보냈습니다.

중학생의 공간을 바탕으로 그들의 우주를 내보입니다. 내 몸 하나 쉴 공간에서부터 자주 생활하는 곳, 내 마음이 끌리는 장소와 무한한 상상의 공간까지 중학생들의 공간에는 한계가 없습니다. 제목인 '스페이스'는 무의 공간이면서 동시에 무엇이든 될 수 있는 창조의 공간입니다.

독토리 학생들이 쓰고 그리고 엮었지만 이 글들이 독토리만의 이야기는 아닐 거라 생각합니다. 스페이스에서 마음껏 뒹굴고 뛰놀고 사유하는 시간을 통해 독자들의 공간 또한 넓어지리라 기대합니다. 스페이스를 통해 타인에 공감하고 자신을 이해하는 시간을 보내기를 바라고, 더불어 자신만의 이야기를 떠올려 보면 좋겠습니다. 그래서 우리들의 스페이스, 우주가 따듯하게 데워져 지금 여기가 더욱 살만 한 곳으로 여겨진다면 더 바랄 게 없겠습니다.

선후배와 친구들로부터 자극 받고 서로를 북돋우며 자신만의 스페이스를 일구어낸 독토리 스물 세 명에게 무한한 감사를 보냅니다.

지도교사 박주희

에세이의 공간

space;

빈 공간,

그리고 무엇이든 될 수 있는 우리들

말을 구워내는 일

오은하

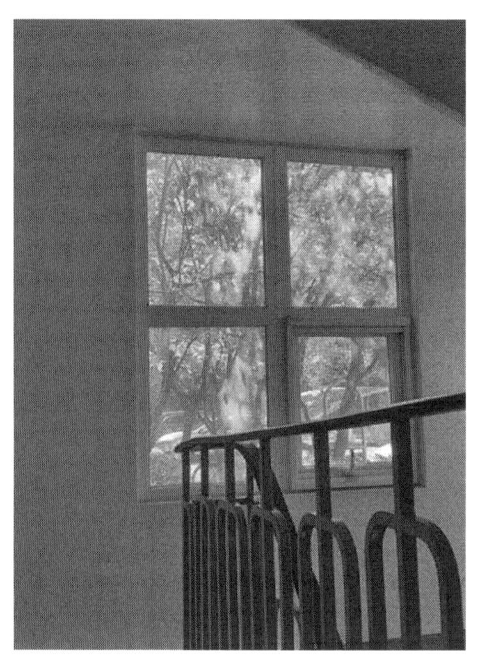

어린아이 같이,

아직 모순덩어리인 사람입니다.

말을 반죽하고, 구워내기까지의 과정.

말을 그램 수에 맞게 계량하고, 말들을 연결 시키기 위해 반죽한다. 그 말들을 빵틀에 넣고, 말들이 노릇해질 때까지 화덕에 구워낸다. 때론 의도치 않게 말들이 덜 익거나, 터질 때도 있다. 그 말들을 자세히 관찰해보면 어디를 실수했는지 알 수 있을 것이다. 실수한 부분을 조심하고 노릇하게 구워낸 말들은 전보다 훨씬 나아졌을 것이다.

나의 공간

김윤아

평소에는 책을 많이 읽지 않았던 사람이었다. 하지만 친구의 추천으로 읽게된 책이 인상 깊어서 그때부터 책을 읽기 시작했다. 지금은 친구들의 추천으로 읽는 책을 많이 읽고 있다.

나의 공간은 내가 자거나 공부를 하는 나의 방이다. 나의 방은 2016년도에 처음 왔다. 그래서 내가 이 방에서 생활한 지는 어느덧 7년이 되었다. 처음에 이 방을 보았을 땐 그냥 그랬다. 그런데 계속 시간이 흐를수록 나의 방에 대해서 생각을 해 보았다. 내가 자고 공부하고 노는 공간이 나에게는 너무 평범하지만 다른 사람에게는 이 공간이 소중할 수도 있다고 생각하니 내 공간이 소중하게만 느껴졌다. 물론 내가 언제까지 이 공간에 있을지 모른다. 그래서 나는 그전까지 나의 공간을 소중히 여기고 깨끗이 써야겠다는 생각이 들었다. 그래서 지금까지도 나는 나의 공간을 소중히 생각하며 하루하루를 살아가고 있다.

나와 강아지 비밀 공간

이효주

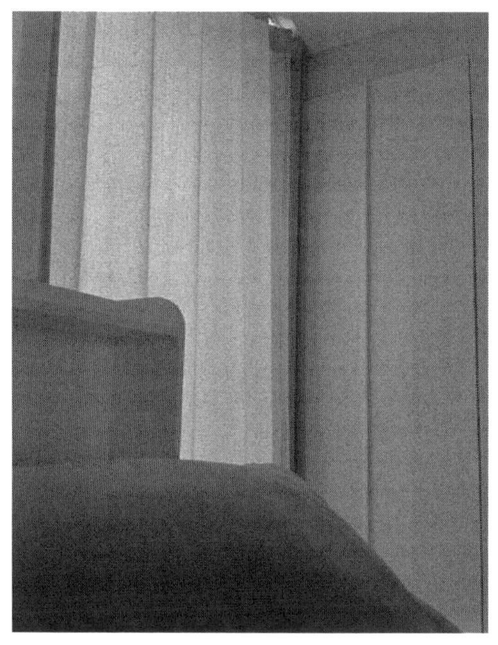

반려동물을 좋아하는 십대 작가

침대 뒤에 조그마한 공간이 있는데 나는 그곳이 제일 편안하다. 그 이유는 항상 슬프거나 혼자 있고 싶을 때 가는 곳이 편안한 장소라고 생각하는데 슬프거나 혼자 있고 싶을 때 가는 곳이 그곳이기 때문이다. 그 장소는 나와 나의 반려동물만 들어올 수 있기 때문에 조금 더 편안한 것 같다. 앞으로 이 장소가 나의 제일 편안한 곳이 되었으면 좋겠다.

그릇

오은하

어린아이 같이,

아직 모순덩어리인 사람입니다.

누구에게나 하나씩 다양한 그릇이 있다.

그릇의 모양은 다양하다. 금이 간 그릇, 페인트가 벗겨진 그릇, 표면이 거친 그릇.

그것도 나름대로 그 사람에게는 소중하고도 시그너처인 그릇이 아닌가 싶다.

역설적 공간

임채율

누군가를 응원해주는 치어리더,
별 같이 빛나는 꿈을 찾고 있다.

나만의 공간이자 내가 가장 많이 사용하는 곳. 내가 가장 많이 쉬고, 공부하고, 자는 곳. 그곳은 내 방이다. 고양이들도 자기들이 좋아하는 공간이 있다고 한다. 바로 좁은 공간과 상자인데, 고양이들이 이런 공간을 좋아하는 이유는 바로 자기들의 스트레스 해소와 본능 때문이라고 한다. 어쩌면 이 중 스트레스 해소는 내가 내 방을 가장 많이 사용하는 이유일 것이다. 내 방에 들어가면 쉴 수 있고, 내 공간이니까. 하지만 내 방이라는 곳은 나의 스트레스를 풀어주지만, 오히려 스트레스를 주는 공간일 수도 있다.

내가 게임을 하거나 영상을 볼 때는 스트레스를 풀어주지만, 공부를 할 때는 스트레스를 받는 공간이다. 이러한 관점에서 보았을 때, 내가 가장 많이 사용하는 공간인 내 방은, 과연 내가 가장 스트레스를 풀 수 있는 공간일까?

어딘가에 숨고 싶을 때

이지윤

얼른 자라고 싶지만 한편으로는
아직 부모님의 품이 좋은 중학생.
자신만의 세계관을 구축하고 있는 중이다
언제 끝날지는 모르지만.

이 주제를 듣고 사실 어떠한 특정 공간이 떠오르지는 않았다. 집도 나에게는 머물다가 가는 곳 중 하나이기 때문에 그리 큰 비중의 쉼터가 되지는 않았다.

내가 좋아하는 공간을 떠올리기 위해서 종일 나의 활동반경을 관찰해 내가 가장 편했던 때를 떠올리니 그냥 어떠한 구석이었다. 어딘지는 상관없다.

앞에 나서다가 잠시 숨고 싶을 때,

사람들에게서 벗어나 혼자 있고 싶을 때,

어딘가에 구석에 있으면 잠시나마 심리적 안정감이 찾아왔다. 나는 사실 꽤 내향적인 성격이라 사람들과 곁에 있으면 금세 기가 빨리곤 한다. 그때 잠시 그곳에서 벗어나 구석에 가서 숨을 돌리고 했다. 꽤나 이상하게 들릴 수도 있지만 내가 집에서 가장 좋아하는 공간도 침대가 아닌 침대와 책상 옆 구석 땅바

닥이다. 전생에 노예였는지 잠시 헷갈릴 정도로 어딘가에 웅크리고 조아리는 자세가 편해서 공부하다가 한동안 구석에서 머물고는 한다. 쓰다 보니 얘기가 조금 이상하게 흘러간 감이 없지 않아 있지만, 아무튼 나에게 가장 안정감을 주는 공간은 구석이다.

Home Sweet Home

공예주

바다를 건너보기도, 산을 올라보기도, 우주를 여행해 보기도, 하늘을 날아보기도. 14년 동안 나를 찾는 중.

대부분의 사람들은 가장 편안한 공간이라 하면 집을 선택할 것이라 생각된다. 그중 한 명이 나다. 제목처럼 Home sweet home이란 말도 있을 정도로 사람들은 집을 좋아한다. 그래서 내가 집을 좋아하는 이유는 뭘까 생각해 보았다.

첫 번째, 어떤 행동을 해도 가족 이외의 누군가의 간섭을 받지 않는다.

예를 들어 학교에서 계속 핸드폰을 한다거나 계속 잔다면 선생님이 하지 말라고 반복하여 이야기하실 것이다. 하지만 집에서는 그렇지 않다. 아무리 노래를 부르고 소리를 지를지언정 엄마가 한마디만 하고 끝낸다.

두 번째, 개인적 취향 및 경향

개인적 취향이란 어떤 공간보다 집을 더 선호하는 것이다. (a.k.a 집순이) 예를 들면 친구들이 스터디 카페를 가자고 했을 때 '왜 가?' 라는 생각이 들었다……. 항상 집에서만 공부해서 스터디카페는 그냥 돈만 날리는 곳이라 생각했다. 이처럼 항상 집에서 많은 것을 해결하려 하고 집에 더 있으려는 경향이 있다.

세 번째, 나만의 공간이 있다. (=안정감을 느낄 수 있다)

집에는 방이라는 나만의 공간이 있다. 나는 작은 공간일수록 더욱 안정감을 느낀다. 방 안에 있으면 아무에게도 방해받지 않고 혼자만의 시간을 보낼 수 있다. 학교에서 친구들이 집 가고 싶다고 말하는데, 그게 안정과 휴식을 원하는 것이라고 생각이 든다. 그치만, 나는 집에 있을 때도 집 가고 싶다고 생각이 들 때가 종종 있는데 아마도 집 안에 있지만 쉬지 못하는 상황일 것이다.

완전한 나만의 것

박세연

나를 이상하다고 하는 사람들에게 말해주고 싶다.
나에게 있어 그건 최고의 칭찬이라고.

나만의 공간 하고 바로 떠올린 것은 나의 상상 속 공간이다.

이게 무슨 소린가 싶겠지만 말 그대로의 의미이다. 나의 상상은 종잡을 수 없을 정도로 뒤죽박죽 하지만 그래서 나만큼은 그 공간을 세상에서 가장 좋아한다고 단정지을 수 있다.

나의 상상속에서는 한 시간에도 수십 번 나만의 공간이 펼쳐진다. 좋아하는 소설속 공간에 들어가기도 하고 아예 스스로 새로운 세상을 만들어버리기도 한다. 그럴 때면 나는 그 망상의 주인공이 되어 내 마음대로 살아간다. 나만의 상상이기 때문에 누군가가 간섭할수도 내가 힘들어할 문제도 일어나지 않는다.

그렇게 상상속 공간에 갇혀있다 보면 신기한 아이디어가 생각나기도 한다. 물론 상상속 공간에 있다가 현실로 오면 배로 고통스럽기도 하다. 그렇지만 이 공간은 내게 마약과 같아서 도저히 끊을 수 없는 즐거움이다. 가끔(이라쓰고 꽤 자주)실제로 중얼거리거나 방을 돌아다니는 나를 보는 엄마의 표정이 좀 무섭긴 하지만. 다들 한 번씩은 도피처로 사용해보는 걸 추천한다. 가장 쉬운 방법은 자신이 좋아하는 소설에 자신을 등장인물로써 등장 시키는 것인데 나랑 비슷한 사람이라면 분명히 중독될 것 임을 감히 예상해본다.

혼자

이서하

내가 멋있는 사람을 보고 동경의 눈빛을 보내는 것처럼 누군가 나를 보고 꿈을 꿨으면 좋겠다. 이슬아 작가를 보고 내가 꿈을 정한 것처럼 적어도 어떤 한 사람에게는 내가 꿈이 되면 좋겠다. 그렇게 꿈을 주는 멋진 사람이 되고 싶어서 나름대로 노력하고 있다.

분명 글을 쓰겠다 마음먹고 책상 앞에 자리를 잡았다. 그러나 의자에 앉기가 무섭게 처음의 허리 꼿꼿이 세운 바른 자세는 모습을 숨겼으며, 단지 깊은 한숨을 푹푹 내뱉고는 엎드려버리는 내 모습이 그 자리를 채울 뿐이었다.

애꿎은 눈동자만을 연신 도록도록 굴리며 생각에 빠졌다. 편안한 공간, 내가 가장 편안한 공간이 무엇일까?

편안하다 (便安하다)

형용사

편하고 걱정 없이 좋다

느릿느릿 손가락을 움직여 도착한 휴대폰 화면 속에는 편안함의 사전적 정의가 자랑스레 제 모양새를 뽐내고 있었다. 밝은 화면을 노려다 보며 다시금 한숨을 뱉었다. 평소 깊이 있게 생각해본 적이 있을 리가 만무한 주제일뿐더러, 생각이 난다 해도 어떻게 써내려 가야 하는지 알 수 없었다. '편하고 걱정 없이 좋다', 이런 생각이 내 머릿속에 번지는 공간은 과연 어딜까. 집, 학교, 내가 자주 걷는 산책로, 친구들과 함께 가는 카페……. 차례차례 떠올려보던 순간에 퍼뜩 펼쳐진 공간이 있었다.

나는 내가 혼자 있는 공간이 가장 좋고, 편안하다. 말 그대로 집이든, 학교든, 산책로든 카페든 할 것 없이 혼자 시간을 보낼 수 있다면 편안함을 느낀다는 의미이다.

혼자라 함은 간혹 어딘가 외롭고, 쓸쓸하고, 그렇게 밝지만은 않은 느낌을 불러일으키기도 한다. 그러나 달리 말하면 남에게 방해받지 않고 온전히 나에게만 집중할 수 있다는 뜻이기도 하다.

그래서 나는 내가 혼자 있을 수 있는 공간이 좋다. 가령 시험을 망치거나 하는 갖가지 이유로 인해 우울감이 고개를 치켜드는 날이면 혼자서 시간을 죽일 수 있는 곳을 찾아 몸을 뉘여보는 것이다. 그러면 얼마 뒤에는 그 우울한 감정들이 언제 있었냐는 듯 씻은듯이 사라져버린다.

또한 혼자서 가장 좋아하는 일을 하고 있노라면 시험, 학교, 친구 관계 따위의 걱정거리들이 자취를 감춘다. 오로지 나에 대한 것만 생각할 수 있는 꽤나 좋은 기회가 되기에 혼자만의 공간을 찾기 일쑤이다.

다시 말해, 그다지 긍정적이지는 않은 감정들이 나를 집어삼키는 것은 퍽 유쾌한 일은 아니기에 나는 그 감정들을 없앨 수 있는 혼자 있는 공간을 무척이나 좋아한다.

내가 좋아하는 공간

오은하

어린아이 같이,

아직 모순덩어리인 사람입니다.

내가 좋아하는 장소들은 단촐하고 평범하지만, 내게는 소중한 공간들이다

내가 좋아하는 장소들을 소개해보도록 하겠다. 첫번째는 침대이다. 평범하지만 내게는 제일 중요한 공간이다. 침대에서 거의 모든 시간들을 보낸다. 가장 편안한 장소이자 따뜻하다. 또한 어렸을 때의 침대에 대한 로망이 있었기에 더욱 애착이 가는 듯 하다.

일상이 여행이 되는 곳

이민주

책에 관심도 없고 마냥 놀기만 좋아하는 학생이였지만 이제는 꿈을 이루기 위해 열심히 노력하고 있는 학생

'일상' 이 단어에 대해 생각해 보면 평소 생활(집, 학교, 학원 등)밖에 안 떠오르고 막상 생각해 보려 하면 잘 생각이 안 난다. '일상'에 대해 생각해 보니까 갑자기 일상의 소중함과 즐거움을 점점 잊어가고 있다는 생각이 들었다. 일상이 여행이 되는 곳을 떠올릴 수 있을지는 모르겠지만 곰곰히 떠올려 본다.

일상이란 게 내 평소 생활을 나타내는 것인데 여행을 가는 것처럼 신난 상태에서의 들뜬 마음이 나타나는 곳? 아니면 내가 살면서 항상 똑같은 일상 속에 미쳐 알지 못했던 나의 진짜 모습들이 나타나는 곳? 도 맞다고 생각할 수 있을 것 같다. 내가 제일 좋아하는 일상에서의 장소는 아마 집인 것 같다. 집은 내가 하루의 절반 동안 있는 곳이지만 가장 익숙하면서 편안해지는 곳이다보니까 오히려 집 밖에 신기한, 재밌는 곳보다도 어쩔 때는 더 신난/좋은 마음으로 집에 있는 것 같다.

다시 생각해 보면 집에서만 알 수 있는 집 밖에서는 알 수 없는 느끼지 못하는 내 진짜 모습들이 나타나는 것 같아서 여행을 갈 때는 여행지에 대부분 모르는 사람들이 있으니까 내 진짜 모습들이 나오는 것과 비슷하다고 생각이 든다!

여행

오예은

약간 모자람 온통 실수 투성이지만 이런 실수 투성이 인생이라도 좋아! 건배~!

내 방, 우리 집 같은 많은 안정되는 공간이 많지만 고즈넉한 분위기가 있는 공간을 좋아한다.

좋아하는 사람들과 그 분위기를 느끼며 안정을 취하는 것이 그 무엇보다 행복한 일이다. 나는 특히 바다가 보이는 책방이나 카페에서 멍때리고 있는 걸 좋아하는데, 아무 생각 없이 혼자만의 공간이 또 생긴 것 같아 방해받고 싶어하지 않는달까. 그런 공간 특유의 공기의 흐름과 고즈넉함이 여행을 끝내고 일상으로 돌아와서도 계속 느껴지게 되는 것 같다.

좋아하는 사람들과 좋아하게 될 것 같은 공간에서 그 공간에 대해 함께 이야기하는 것도 좋아한다. 같이 이야기하면서 그 공간에 더 집중할 수 있게 되고, 내가 좋아한 공간을 좋아하는 사람들에게 함께 나눌 수 있으니까 말이다.

고양이라는 친구

오은하

어린아이 같이,

아직 모순덩어리인 사람입니다.

멀리서도 가까이서도 보는 것만으로도 따뜻하다. 안으면 고스란히 온기가 느껴지는 고양이. 말을 하지 않아도 함께 있어 줄 수 있는 친구.

할머니의 집

지희수

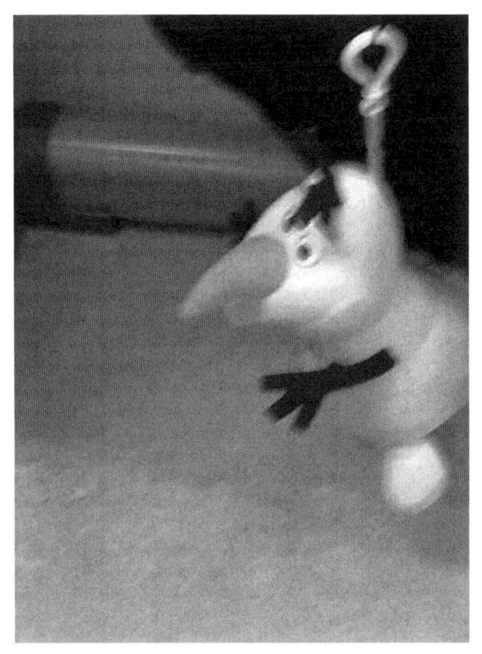

꿈이 많은 사람.

언니와 나는 내가 4살 때부터 6살 때까지 할머니 집에서 자랐다. 부모님이 사업하느라 바쁘셨기 때문이다. 할머니 집에 가면 그때의 기억이 생생하게 떠오른다. 할머니는 항상 옷들을 손세탁하셨는데, 할머니 집에 가면, 그때 우리 옷에서 나던 비누 냄새가 난다. 우리는 한 달에 한 번씩 키를 벽에 기록해두었는데, 아직도 할머니 집에 가면 볼 수 있다. 또, 언니와 내가 그렸던 그림, 내가 어렸을 때 입던 옷 같은 것들이 아직도 남아있다. 지금은 할머니와 살지 않지만, 할머니 집이 우리 집과 가까워서 자주 간다. 요즘 들어 할머니와 걸을 때면 할머니의 걸음이 느리다고 생각된다. 옛날에는 분명 할머니의 걸음이 빠르다고 생각했던 것 같은데. 할머니의 걸음이 느려진 것인지 나의 걸음이 빨라진 것인지 알 수 없다. 아마 둘 다겠지. 오늘이 우리 할머니의 생신이다. 할머니가 오래오래 건강하고 행복하게 사셨으면 좋겠다.

13층 아주머니의 거실

최희윤

나를 13층 아주머니 처럼 챙겨주고 아껴주는 사람을 찾고 있는 학생.

나는 내가 아주 어렸을 때부터 나를 사랑해주고 아껴 줄 사람은 없을 거라고 생각을 했었다.

당시에 우리 부모님이 엄청 바빴기 때문이다. 아빠는 다른 동네에서 살고 엄마는 밤늦게까지 일을 해서 자주 못 봤기 때문이다. 늘 외롭고 쓸쓸했던 나를 키워주셨던 분은 우리 부모님이 아니라 바로 우리 집 아래층 13층 아주머니다. 아주머니와 좋은 추억들이 정말 많다. 아주머니는 넓은 거실에서 내 숙제를 도와주셨고, 책도 읽어주셨고 내가 슬플 때 위로를 해주셨다. 또, 거실에서 김밥을 같이 만들었을 때가 가장 즐거웠고 기억에 많이 남는다. 그때 나를 챙겨주셔서, 나를 사랑해주셔서 감사하다고 말씀을 드렸어야 했는데, 수줍음이 많았던 나는 말씀을 전혀 못 드렸다.

지금이라도 감사했다고 말 하고 싶지만, 세 달 전 아주머니는 뇌졸중 때문에 세상을 떠나셨다. 나는 엘리베이터를 타고 13층을 지나갈 때마다 항상 후회가 된다. 아, 왜 더 일찍 감사하다고 말을 못 했을까.

"아주머니, 저를 챙겨주셔서 정말 감사했고 사랑해요. 보고싶어요."

위로

박세연

나를 이상하다고 하는 사람들에게 말해주고 싶다.
나에게 있어 그건 최고의 칭찬이라고.

스스로가 자신을 사랑하지 않는다고 느껴 우울해질 때가 있을 거다.

그럴 때는 집 근처 가장 높은 건물로 올라가자.

엄청나게 높은 곳일 필요는 없다.

건물에 올라갔다면 지면이 보이게 몸을 난간에 기대보자.

아래를 보고선 공포심을 느꼈다면

그건 내가 나 스스로를 사랑하기에 내가 죽는걸 무서워하는 거라고 생각하며 우울감을 달래보자.

산책

이지윤

얼른 자라고 싶지만 한편으로는
아직 부모님의 품이 좋은 중학생.
자신만의 세계관을 구축하고 있는 중이다.
언제 끝날지는 모르지만.

우리 가족은 산책하는 것을 매우 좋아한다. 그래서 이사 오기 전에는 매일 저녁 동네 한 바퀴를 돌고는 했다. 저녁 즈음에 동네에는 저마다 '나 좀 봐주세요'라고 반짝이는 간판 불빛이 거리를 꾸몄으며 사람들은 저마다 다른 방법으로 하루를 마무리할 준비를 했다. 나는 그런 풍경이 좋았다. 서로 각자의 세상을 살아가는 사람들을 지나치며 잠시 구경하는 것이 좋았다.

이사를 온 후 낯선 거리에 낯을 가리느라 우리 가족은 산책을 잠시 멈추었다. 그래서인지 나는 아직도 동네의 위치를 잘 모른다. 근데 오히려 몰랐던 것이 좋을 수도 있다. 지금부터라도 하나씩 알아가 보면 되지 않나. 반석동아. 늦었지만 우리 친해지자.

바다맛 사진첩

공예주

@jeudimaislundi

바다를 건너보기도, 산을 올라보기도, 우주를 여행해 보기도, 하늘을 날아보기도. 14년 동안 나를 찾는 중.

다들 한 번쯤 청소를 하다가 추억 여행을 하는 경우가 있을 것이라 생각한다. 바로 그것이 일상이 여행이 되는, 추억"여행"이다.

최근 이사 청소를 하면서 앨범을 정리했었다. 앨범 속에는 그야말로 우리 가족의 인생이 담겨 있었다. 인생이라 하면 꽤 거창해 보이지만 앨범 속 사진 하나하나가 모여 그 사람의 흔적과 인생을 알 수 있는 것이다. '남는 건 사진뿐'이라는 말이 있듯이……. 사진을 보면서 어렴풋이 기억나는 것과 아예 기억나지 않는 것, 생생하게 기억나는 것들이 모두 있었다. 그중 내가 가장 좋아하는 사진은 아무래도 내가 잘 나온 사진이지만……. 그걸 제외하곤 사진 안에 담겨있는 분위기와 느낌이 가장 좋았던 사진이 내가 가장 좋아하는 사진이다. 이 조건을 모두 충족하는 내가 가장 좋아하는 사진은 6살? 7살? 때 여름에 바다에서 엄마와 찍은 사진이다. 활짝 웃고 있는 엄마와 나는 말할 것도 없고, 그 웃음 뒤에 있는 바다도 보는 사람까지 시원해지는. 한마디로 표현하자면 여름, 파랑 그 자체의 사진이다.

또 누구에게나 어떤 기억을 떠올리면 향기가 생각나는 기억이 있을 것이다. 나는 이 사진을 생각하면 왜인지 아빠 스킨 냄새가 생각나며 짭짤한 바다의 향기가 동시에 코를 스쳐 지나가듯이 생생히 생각난다. 이 향기도 어쩌면 추억이라고 할 수 있을 것 같다. 13년 기억에는 추억이라 할 수 있는 게 이 정도밖에 없지만 나중에 나이를 더 먹고 나서는 이 글을 쓰는 지금이 추억이 될 수도 있고 독토리라는 동아리가 추억이 될 수도 있을 것 같다.

마지막으로 기억 미화에 대해 이야기 하고싶다. 바다 사진을 찍었던 날에 더웠을 날일 수도 있고 모래가 수영복 사이에 들어가서 기분이 나빴을 수도 있지만 지금의 안 좋은 일들이 나중에는 미화되어 좋은 기억으로 남아 나중에 다시 생각하였을 때 좋은 기억으로 생각나는 게 추억 여행의 묘미인 것 같다.

이렇게 짧게 다시 한번 추억 여행을 떠나보았다. 앨범 이야기에서 추억 이야기까지 많은 글을 썼다. 어쨌든 내가 생각하는 일상이 여행이 되는 곳은 그저 생각을 할 수 있는 모든 공간이라 생각한다.

토마토

오은하

어린아이 같이,

아직 모순덩어리인 사람입니다.

초등학교 때 친구들, 선생님과 함께 교과서 소설을 자리 순서대로 한 문단씩 읽었다.

어느새 내 차례가 지났고, 옆에 앉은 친구는 유난히 조용하고 말이 적은 친구였다.

모두가 시끌시끌 떠드는 와중, 아랑곳하지 않고 친구가 책을 읽었다. 처음에는 목소리가 들리나 하였으나 갈수록 목소리가 작아지며 염소처럼 목소리가 떨렸다.

나는 고개를 푸욱 숙인 친구의 얼굴을 살며시 쳐다보았다. 친구의 얼굴은 토마토처럼 벌겋게 물들어 있었다.

하지만 얼굴만 붉어진 게 아니었다.

친구의 눈시울도 해질녘처럼 붉어졌다.

토마토같이 빨개졌다고 남자아이들은 웃으며 깔깔대었다.

친구의 눈에는 점점 눈물이 송골송골 맺히더니, 잠시 후 자리를 떠났다.

몇 초 동안 교실은 정적으로 가득 찼다.

사색의 자리

방승주

나만의 인생을 만들고,
나만의 이야기를 만드는 청소년.

제일 먼저 떠오른 가장 편안한 공간은 내 방이었지만, 너무 당연하다고 여길 만한 경지에 오른 수준인지 다른 공간을 찾게 되었다. 그다음으로 떠오른 것은 반석천이었지만, 그건 공간이 아닌 것 같아서 그다음으로 넘어갔다. 그래서 생각한 것이 내 자리인데, 이것도 조금 당연하다고 여길 수 있지만, 그래도 나는 내 반이 좋고, 그 반 안에서 내 자리가 제일 좋다. 아, 내 자리는 교탁을 기준으로 맨 오른쪽에 맨 뒷자리다. 그 자리는 창가 옆이기도 하다.

내가 이 자리를 좋아하게 된 가장 큰 이유는, 아마 그 자리가 창가 옆이기 때문일 것이다. 아침 시간에건 수업 시간에건 창문을 열면 살랑살랑 바람이 불어온다. 만약 그날이 햇살이 따뜻하다면 그날은 하루 종일 햇살을 쪼일 수 있는 것이다. 그러면 비타민 C라는 영영분을 얻을 수 있고, 나도 식물처럼 광합성을 하는 기분을 얻을 수 있다. 정말로 (다른 의미로) 발전할 수 있다. 이러면 나는 항상 기분이 좋아지는데……. 생각만 해도 너무 좋은 것 같다.

이러한 자리의

장점: 사색에 잠겨 생각이 깊어질 수 있으며(너무 좋음), 위에 언급한 것처럼 광합성을 할 수 있고(너무 좋음), 수업 중에 바람을 느낄 수 있으며(에어컨 바람과는 확실히 다른 바람이다)(가장 좋음), 책상의 햇빛이 닿는 부분과 안 닿는 부분의 온도차가 커서 햇빛이 닿는 부분과 안 닿는 부분을 연달아 만지면서 따뜻했다가, 차가웠다가를 반복하는 놀이를 할 수 있다(좋음).

단점: 선생님의 관심을 못 받을 수 있으며(치명적임), 가장자리 쪽이라서 발표하려고 손을 들어도 못 볼 수 있다(치명적임). 가장 치명적인 단점은, 수업시간에 너무 강한 햇살에 잠들 수도 있다(치명적임).

하지만, 내가 생각하기에는

수업 시간에 졸 수 있음<<<<<<<<(넘사)<<<<<<<따뜻한 바람을 느낄 수 있음

그러므로 이 자리는 명당이다.

그래서 나는 이 공간이 세 번째로 좋다.

초록색, 옥상

공예주

바다를 건너보기도, 산을 올라보기도, 우주를 여행해 보기도, 하늘을 날아보기도. 14년 동안 나를 찾는 중.

소설 속 학교에서 일어나는 일들을 생각해보면 옥상에서 일이 시작되는 경우가 많다. 그만큼 옥상은 소설에서 쓰기 좋은 장소라 생각된다. 나는 옥상을 떠올리면 소설 속에서는 쉬는 시간에 옥상에 올라가서 일진을 만났다든지, 괴담집에서는 대대로 내려오는 학교 옥상에서 누군가가 죽었다든지 이런 이야기들이 생각난다. 옥상이란 장소는 대부분의 건물에 있다. 하지만 많은 학교에서는 옥상을 잠가놓는다. 뭔가 중요한 것이 있지도, 가면 안 되는 곳도 아닌데.

우리 집에서는 외삼중학교 옥상이 훤히 보인다. 또 반에선 수업 시간에 창문을 보면 앞반 라인의 옥상이 보인다. 마지막으로 초등학교 때의 일이다. 기억하기론 외삼초등학교는 맨 위층에서 큰 창문을 열고 가면 옥상으로 갈 수 있었던 것 같다. 언제 한 번

옥상으로 나가보았는데 낭만은커녕 고소공포증이 생길 것만 같았다. 이렇게 볼 때는 그저 위가 뚫린 초록색 바닥일 뿐이고 직접 올라가면 무서운 곳인데 왜 옥상을 생각하면 소설 같고 낭만적이며 초록색 여름의 냄새가 떠오르는 그런 곳일까?

운동장에서 관찰한 꿈

임채율

누군가를 응원해주는 치어리더,

별 같이 빛나는 꿈을 찾고 있다.

나는 별과 꿈은 다르지 않다고 생각한다. 별도 손에 잡을 수 없고, 꿈도 손에 잡을 수 없으니까. 1학년 때 나는 천체동아리의 동아리 부원이었다. 천체동아리는 말 그대로 별을 관찰하고 배우는 동아리였다. 사실 나는 별을 보는 걸 별로 좋아하지 않는다. 왜 잘 보이지도 않는 걸 감상하나 싶었지만, 한순간에 생각이 바뀌게 된 계기가 있었다.

언젠가 별을 관찰하러 밤에 운동장에 나간 적이 있다. 소나기가 내린 직후 보랏빛으로 수 놓인 밤하늘이었다. 축축한 잔디가 운동화에 질퍽거렸다. 운동장에서 망원경으로 본 하늘의 모습은 말로 표현할 수 없을 만큼 아름다웠다.

그때, 별은 조금, 다르게 보였다. 닿을 수 없는 꿈이 아니라, 나아갈 수 있는 소망이랄까? 별빛이 비친 운동장 잔디에 맺힌 이

슬이 하얗게 빛났다. 운동화 발자국으로 눌린 잔디는 운동화에 밟혔음에도 불구하고 빛났다. 밤바다 파도가 넘실거리듯 마음이 몽글거렸다. 잡힐 듯 말 듯, 넘실거리는 바다 같은 하늘 속에서 나는 그 희망을 낚아챘다. 그때 본 별의 모습은 울컥한 기분이 몰려들며 마음이 꽉 차는 느낌이었다. '아, 잡았다. 나아가는 희망을, 닿아가는 소망을'. 나는 그날 운동장에서 별처럼 빛나는 꿈을 잡았다.

시간 여행

정여진

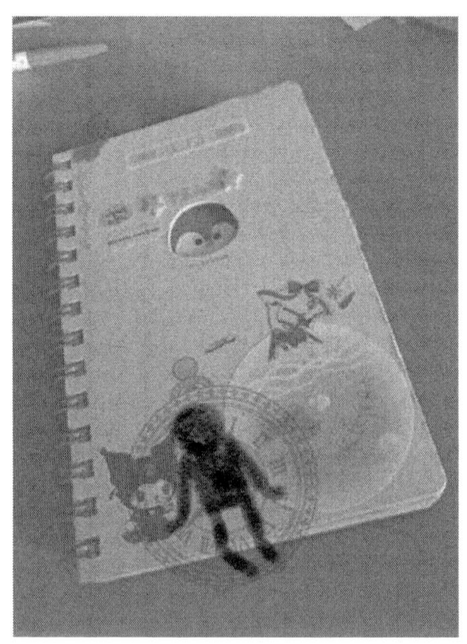

안녕하세요. 여러분. 저는 이번 시간 여행을 안내하게 된 작가입니다. 수많은 목적지에 함께 해주시면 감사하겠습니다. 재밌게 즐겨주십시오.

시간 여행의 첫 번째 목적지는

2022년 10월 29일, 그러니까 지금으로부터 약 1년 전입니다. 이날은 첫 뮤지컬을 본 날입니다. '세종 1446'을 봤죠. 연출이나 내용 등이 굉장히 인상에 남았습니다. 특히 마지막 부분 연출과 넘버(뮤지컬의ost)는 설명하는 지금까지도 선명하게 기억에 남아있답니다. 딱히 유명한 뮤지컬은 아니지만, 뮤지컬에 관심 있으시면 한번 감상해 보시길.

이젠 2023년으로 넘어가죠. 2022년 볼 게 많지 않다는 게 아쉽군요.

2023년 첫 번째 목적지는 3월 11일입니다, 이날은 엄청난 고민을 하고 있네요. 무슨 고민일지 좀 더 가까이 가서 들어보죠.

독토리 vs 도서부원

'어떤 동아리를 들어갈까'이네요, 이건 지금도 못 고를 것 같은 질문이랍니다. 이때 당시에 도서부원과 독토리가 둘 다 동아리여서 둘 중에 골라야 하는 상황이었습니다.

아, 다행히도 도서부원이 동아리(자율동아리인지는 모르겠지만 일단 창체 동아리는 아니게 되었다.)가 아니게 되면서 둘 다 하게 되었답니다. 그렇게 이 고민은 해피엔딩으로 끝났죠.

3월 18일. 이날이 무슨 날인지 맞춰보실래요? 들으면 놀랄 것 같습니다만.

바로바로

<스즈메의 문단속>을 보고 온 날입니다. 굉장히 최근인 것 같은데 벌써 7개월이 넘었단 사실에 엄청난 충격을 받았습니다. 시간은 야속한 것 같아요. 너무 빠르네요.

다음은 5월 27일입니다. 이날은 너무 즐거워 보이네요.

제가 굉장히 좋아하는 게임(줄여서 프세카)이 1주년을 맞이했군요. 지금도 굉장히 좋아한답니다. 다른 날도 아니고 1주년인데 이건 무조건 가야지 한다며 당일치기로 서울에 가는 걸 생각 중이군요, 놀랍게도 부모님의 허락을 받아냈습니다.

재밌는 점은 사실 이날은 당일치기가 아니에요. 어쩌다 보니 서울에 사는 사촌 동생의 꼬드김에 넘어가 이모네에서 하룻밤 잤기 때문에. 그래서 더더욱 기억에 남아있습니다.

아쉽게도 7월 달까지 별 내용이 없다가 시험의 1주일을 담은 날로 넘어갑니다. 정말 놀라운 건 공부를 월요일부터 했다는 겁니다. 전 퇴화했네요. 당일치기하는 경우가 나중으로 갈수록 많아지거든요. 이렇게 하면 큰일나니 따라하지 마십시오.

수학과 과학이 망했다고 슬퍼하고 있습니다만.

이건 저에게 한마디 해주고 싶네요.

'그건 망한 것도 아냐'

라고 말이죠ㅎㅎ 물론 나비효과로 인해 과거에 영향을 끼칠 수 있으니 삼가겠습니다.

다음은 어디가 좋을까요. 첫 제주도 여행으로 가볼까요? 아니면 이번에야말로 진짜 당일치기를 갔다 온 날을 가볼까요? 저는 다음 날이 더 즐거웠으므로 다음 날로 이동하죠!

이날은 당일치기를 부산으로 갔습니다.

간 이유는 부산 일러스트페어(보통은 줄여서 '부일페'라고 부릅니다)를 가기 위해서랍니다.

역시나 행사장에서 길을 못 찾고 있네요. 생각보다 복잡했답니다, 아마도요.

20만원을 넘게 쓰고 있네요. 물론 후회는 없으니 걱정 마세요!! 한참을 쇼핑한 뒤에 드디어 가족끼리 모이는군요. 이제 해운대에 갔네요. 발을 담그네요. 저도 가고 싶네요. 부러워라ㅎㅎ

날짜를 까먹었습니다……. 9월 9일입니다.

슬슬 끝내보겠습니다. 갑작스럽다고요?

물론 이 이후에도 많은 일이 있었습니다만 딱히 시간 여행을 갈만한 곳이 마땅하지 않네요. 비슷한 일이거나 굳이 가야 하나 싶은 곳이거든요.

어떠셨나요? 즐거우셨나요? 이번에 처음으로 시간 여행을 안내하게 되어 미숙할 수 있답니다. 그래도 봐주셨길 바라며 정말로 안녕을 고하겠습니다. 항상 행복한 하루, 추억으로 간직하고픈 하루가 되길~

안내자의 말

나는 일기를 꾸준히 써 오고 있다.

매일을 기록하는 건 아니다. 그저 특별한 날.

내가 보낸 이 즐거운 시간을 까먹어도 다시 기억할 수 있게 하고픈 그런 날만을 기록한다.

2022년 6월부터 써왔지만, 아직 한 권을 다 채우지 못했다. 별로 추억이 없단 뜻은 결코 아니다. 다만 기록한 날이 그 정도일 뿐이다. 그리고 못 채울 거란 걱정도 하지 않는다. 요즘은 한 권이 '넘어가면 어쩌지'라는 걱정을 한다.

버찌책방에서

김주영

학교에 가는 평범한 중학생.

하지만 나와 같은 평범한 교실을 다른 의미로 본다.

지금은 꿈을 향해 걸어나가는 중이다.

학교 독토리 동아리에서 버찌 책방이라는 책방에 가보았다. 책방에 가면서 서점은 넓고 사람이 많은 그런 곳일 줄 알았는데 내가 알고 있는 서점과는 분위기도 다르고 주변 환경도 달라서 신기했다. 서점 안은 아늑하고 서점 분위기가 좋아서 너무 좋은 공간이었다고 생각했고 마음에 드는 책을 골랐을 때의 그 기분이 너무 좋고 뿌듯했다.

서점 안의 공간도 아늑했기에 맘에 들었고 또 좋은 책들이 많이 있어서 너무 좋았고 책을 읽고 사보는 그런 경험. 그때의 그 경험이 정말 의미 있는 경험이었던 것 같아서 나중에도 또 오고 싶은 마음이 들었다.

나중에도 꼭 방문해서 그때의 경험처럼 책도 읽어보고 또 마음에 드는 책을 사는 의미 있는 경험을 하고 싶다.

버찌책방에 간 날

김윤아

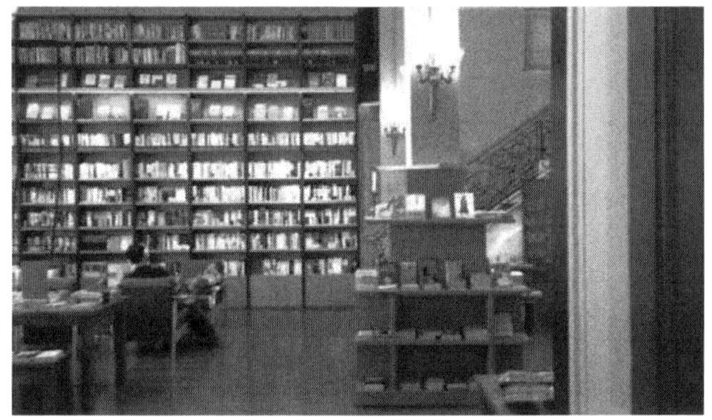

평소에는 책을 많이 읽지 않았던 사람이었다. 하지만 친구의 추천으로 읽게된 책이 인상 깊어서 그때부터 책을 읽기 시작했다. 지금은 친구들의 추천으로 읽는 책을 많이 읽고 있다.

동아리 수업으로 버찌책방을 갔다. 처음 가보는 곳이라 낯설긴 했는데 책방 주인께서 되게 친근하게 대해주셔서 편안했다.

'독립서점'은 태어나서 처음 들었다. 독립서점이란 나만의 개성으로 자유롭게 꾸밀 수 있는 공간이었다. 서점이 되게 아늑해서 좋았다. 그리고 책을 고르는데 너무 재미있는 책이 많아서 신기했다. 하지만 나는 이미 책을 정해서 다른 책을 사갈 순 없어서 아쉬웠다. 그래서 내가 보고 재미있겠는 책을 현서에게 추천해줬다. 나도 나중에 한 번 빌려서 읽어봐야겠다.

나중에 나 혼자 한 번 더 가봐야겠다는 생각이 들었다. 그 이후로 꽤 바빠서 못 가봤는데 이번 기말고사가 끝나고 방학 때쯤 가봐야겠다. 버찌책방에 가고 다른 독립서점을 찾아보았다. 생각보다 많은 독립서점이 있어서 놀랐다. 하지만 한편으로는 이번에 갔던 버찌책방 같은 느낌이 날까 걱정되기도 했다.

책 속으로의 여행

임채율

누군가를 응원해주는 치어리더,

별같이 빛나는 꿈을 찾고 있는 임채율입니다.

독립 서점 '버찌 책방'을 창체 동아리 '독토리'와 함께 다녀왔다.

버찌 책방은 독립 서점인데, 독립 서점은 자본주의의 흐름과는 다른 서점이어서 독립 서점이라고 한다. 이러한 독립 서점에서는 자신이 원하는 책을 읽을 수 있다고 한다.

평소에 교보 문고 같은 서점 밖에 안 가보았던 터라 이런 동네의 작은 서점을 가는 것이 설레었고 기대가 많이 되었다. 또한, 책방은 어떤 분위기일까. 어떤 책들이 있을까. 등의 생각으로 기대가 컸다. 학교에서 한 10분에서 20분 정도 걸으니 자그마한 동네 서점이 보였다. 안으로 들어가 보니, 책방의 분위기가 아주 고즈넉하고 아늑했다. 비록 작았지만, 그 순간 나에게는 크게 보였다. 공부에 치이던 내가 자연스럽게 힐링을 하게 해주는 그런 공간이었다. 책을 고르다 보니 시간이 가는 줄 몰랐다. 그렇게 나는 두 권의 책을 샀는데, 하나는 델핀 마누이 작가의 '다라야의 지하 비밀 도서관'이라는 책이었고, 한 권은 '

나는 치즈다'라는 책이었다. 이렇게 책방을 탐방해 보니, 지금까지 경주마처럼 달리던 내가 잠시 쉬어갈 수 있었던, 아주 의미 있는 시간이었던 것 같아서 매우 뿌듯했다. 또, 나중에 가족들과 다시 한 번 방문하고 싶다는 생각이 들었던 의미 있었던 하루였다.

책 내음을 품은 이름

이서하

내가 멋있는 사람을 보고 동경의 눈빛을 보내는 것처럼 누군가 나를 보고 꿈을 꿨으면 좋겠다. 이슬아 작가를 보고 내가 꿈을 정한 것처럼 적어도 어떤 한 사람에게는 내가 꿈이 되면 좋겠다. 그렇게 꿈을 주는 멋진 사람이 되고 싶어서 나름대로 노력하고 있다.

버찌책방이라는 이름은 내게 자못 익숙하게 다가온다. 작년, 중학교에 입학하고 처음으로 들어간 동아리에서 버찌책방과 함께한 경험은 뜻깊은 기억으로 뇌리에 새겨졌기 때문이다. 그래서 이번에 2학년이 되어서 버찌책방에 방문한다는 소식을 들었을 때 내심 기뻤다. 작년에는 책방지기께서 학교로 찾아오셔서 같이 책을 읽고 감상을 공유하는 시간을 가졌는데, 이번엔 다 함께 직접 책방으로 가 책으로 가득 찬 그 공간을 눈에 담고, 마음에 드는 책을 골라 읽었다. 작년과는 같지 않은 색다른 경험을 할 수 있어서 즐거웠다.

다양한 책들이 자리 잡은 버찌책방은 학교나 아파트 단지의 도서관과는 사뭇 느낌이 달랐다. 따뜻한 조명과 함께 들리는 음악소리가 듣기 좋았고, 바깥에서도 책을 읽을 수 있도록 마련된 탁자와 의자가 시선을 끌었다.

책방을 손님들이 읽었으면 하는 책, 혹은 책방지기께서 좋아하는 책들로 가득 채우셨다고 하셨는데, 그래서 그런지 곳곳에 책에 대한 애정이 느껴졌다. 나는 그 책들 중에서 <케스-매와 소년>, 그리고 <읽지 않은 책들에 대해 말하는 법>을 골랐다. 첫 장을 펼치니 꽤 어려워 보이는 내용이 반겨주었기에 뒤늦은 후회감이 고개를 들었지만, 반면에 마지막 장을 끝으로 책을 덮었을 때 느껴질 성취감 또한 무척 기대됐다.

요즘 책을 전처럼 많이 읽지 않는데, 이번에 책방에 방문한 것이 다시금 책에 흥미를 붙일 수 있는 계기가 된 것 같아 몹시 만족스러웠다. 처음 느낀 책방의 분위기가 계속 머리에 떠올라서 기회가 된다면 또 한 번 가보고싶다.

버찌책방

지희수

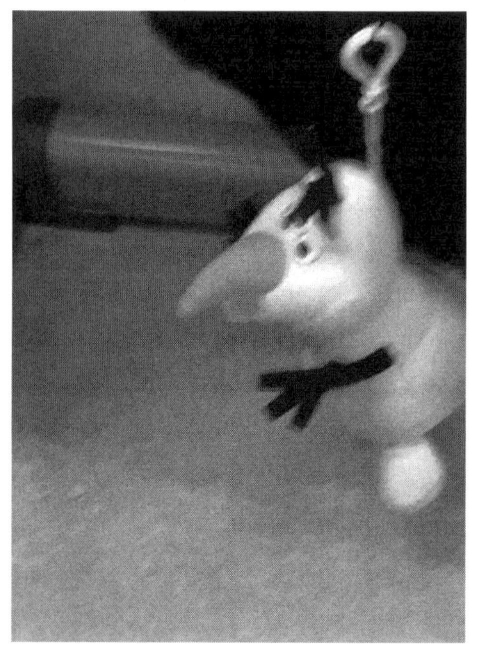

꿈이 많은 사람.

독토리와 버찌책방에 다녀왔다. 처음으로 독립서점에 가는 거라 기대가 됐다. 책방까지의 거리는 멀었는데 가는 길에 꽃들도 보고 경치도 구경하고 친구와 이야기도 나누니까 금방 도착했다.

책방에 도착했을 때 놀랐다. 나는 서점에 가본 적이 거의 없고, 그나마 가본 곳들은 대형서점이었기 때문에 버찌책방의 모든 것이 새로웠다. 그곳에서는 카페처럼 먹고 마실 것들도 팔았는데 나 혼자 갔다면 사서 책과 함께 즐겼을 것 같다.

책방지기님이 독립서점이 무엇인지, 책방지기님이 추구하는 것은 무엇인지 이야기해주셨다.

선생님이 책을 사주신다고 고르라고 하셨다. 나는 '두고 온 여름'이라는 책을 골랐다. 이 책을 고른 이유는 사실 표지가 예뻐서이다. 책의 줄거리는 30대 후반의 주인공이 학창시절을 회상하는 내용이었다. 내가 독서를 좋아하지 않고 책을 읽어도 항상 끝까지 읽지는 않는데, 이 책은 끝까지 읽었다.

버찌책방에 가서 책방지기님의 이야기도 듣고 책도 살 수 있어서 너무 좋았다.

핀란드의 기억

오예은

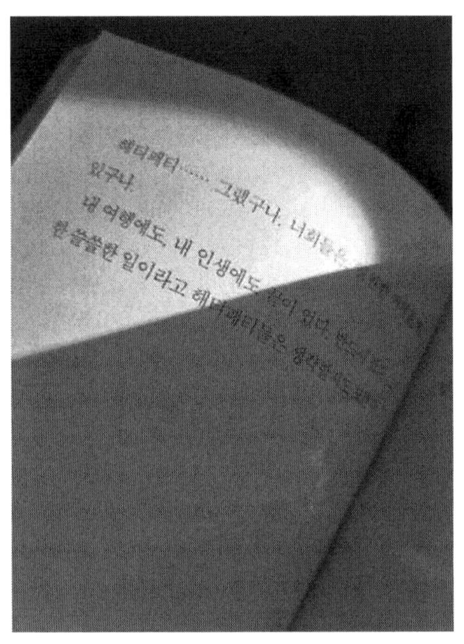

약간 모자람 온통 실수 투성이지만 이런 실수 투성이 인생이라도 좋아! 건배~!

얼마 전, 동아리에서 책방을 간다는 소식에 들떠있었다. 큰 서점이 아닌 작고 따뜻한 서점이었으면 좋겠다고 생각했다. 그 더운 날 따뜻함을 찾는다는 게 웃기긴 하지만 난 그게 좋다. 추운 것보단 따뜻한 것이 더 좋으니까 말이다.

학교에서 나와 계속 걸었다. 익숙한 길을 지나쳐 더 걷다 보니 카니발 한 대가 겨우 들어갈 것 같은 골목이 나왔다. 거기서 조금 더 들어가 보니 왠인지 포근한 냄새가 날 것 같은 서점이 보였다. 티는 안 냈지만, 너무 설렜다. 이런 독립 서점을 본 적이 얼마 만인가. 가족들하고 제주도에서 갔던 작은 독립 서점도 어린 동생이 우는 바람에 오래 머무르지 못했다. 그래서인지 더 설렜다.

아니나 다를까 서점에 들어가자마자 나무 향이 느껴졌다. 그 덕분에 낯선 공간에 대한 경계심이 조금 풀어졌다고나 할까?

그냥 다 좋았다. 분위기도 좋았고 테라스에 있는 작은 개미들도 좋았고, 책방에서 흘러나오는 노래도 좋았다. 조금 아까웠던 게 있으면 내가 지금 교복 차림이라는 거. 빼곤 전부 좋았다.

책 고르기는 어렵지 않았다고 말할 순 없다. 버찌책방에 있는 책들은 전부 처음 보는 종류의 책들이고, 낯선 책들이기 때문이었다. 책들 사이를 방황하다가 나에게 작은 책이 손을 흔들어 주었다. 감탄사를 내면서 그 책의 손을 잡았다. 여태 고민하다가 고른 책이 여행책이라는 것이 다소 웃길 수도 있지만, 나에게 필요한 책은 그 책이었다.

항상 그랬던 거 같다. 항상 여행이 필요했다. 왜일까 지치지도 않고 매일이 좋고 행복했는데 휴식이 필요했다. 그 책이 나에게 여행이 될 것 같았다.

집에 돌아가서는 작은 무드 등을 켜놓고 책을 읽기 시작했다. 왜인지 그 책에는 그런 분위기가 어울릴 거 같아서. 잠깐, 아주 잠깐이었지만 나는 핀란드를 경험했다. 핀란드 사람들의 친절한 웃음도 보고, 맛있는 음식도 먹고, 추운 겨울바람도 맞아보고. 계속 기억에 남을 첫 핀란드 여행일 거 같다.

고양이 백마리

오은하

어린아이 같이,

아직 모순덩어리인 사람입니다.

우리 모두의 마음속에는 고양이 백 마리가 숨어있다. 각기 다른 각양각색의 고양이가 마음속에는 살고있다.

때론 백 마리의 고양이들이 우리의 뜻을 따라주지 않을 때도 물론 있다. 내 맘도 모르면서 자꾸 또 자꾸 불쑥불쑥 튀어나온다.

원망스러울 수도 있지만, 고양이들도 우리가 처음일 것이다. 그런 고양이들은 조금만 이해하고 들여다보자. 비록 백 마리의 고양이들을 케어하지는 못하지만 원망스럽지는 않을 것이다.

가장 행복한 빛

이서영

도전하는 걸 좋아하지만 끈기는 없는 학생이다.
하지만 해냈을 때 느끼는 뿌듯한 감정이 좋아 끈기를 가지려고 노력하는 중이다.

시의 공간

space;

빈 공간,

그리고 무엇이든 될 수 있는 우리들

선

오은하

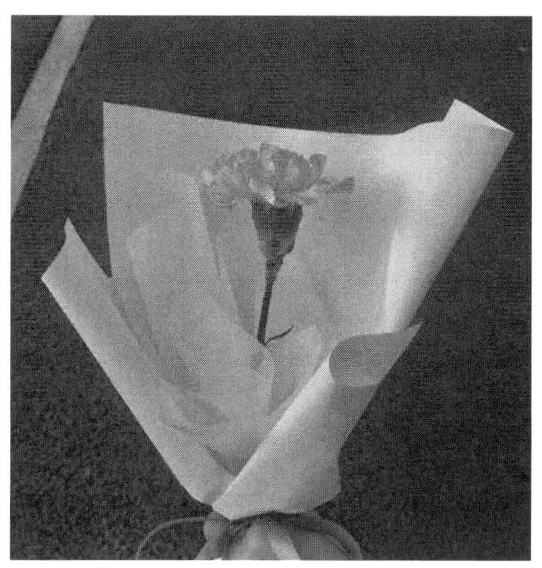

어린아이 같이,

아직 모순덩어리인 사람입니다.

그리는 사람의
입맛대로

스-윽

굵은 선, 얇은 선으로
내 멋대로

사-악

긋는대로 그어지는
종이 위의 선

샤갈의 마을에 내리는 커피

정진현

커피는 안 먹지만 커피 향은 좋아한다.
커피 내음새가 스며드는 봄을 떠올리며, 이 시를 써본다.
(김춘수의 〈샤갈의 마을에 내리는 눈〉을 패러디해 써 보았다.)

샤갈의 마을에는 삼월에 커피가 내린다
한 노인의 정맥이
바르르 떤다
바르르 떠는 노인의 팔목에

새로 돋은 정맥을 따라가며
커피는 달달한 비스킷을 데리고
하늘에서 내려와 샤갈의 마을의
마당과 언덕을 덮는다

삼월에 커피가 내리면
샤갈의 마을의 매서웠던 겨울 공기는
다시 따뜻한 커피 내음새로 물이 들고
아침부터 일개미들은
그해의 제일 아름다운 기지개를 켜며 그 내음새를
따라 나선다

시간의 시각화

허서연

잔잔한 물결 위 떠다니는 연꽃잎처럼 하루 하루를 단조롭게 보내고 싶은 허서연입니다. 제 시가 나비가 되어 여러분의 마음에 닿길 바랍니다.

매번 너와 함께한 길이
나 혼자서 걷는 길이 되었고

너와 함께한 이 책상이
더 이상 볼 수 없게 되었다

수줍어 말도 못 하던 우리들은
제법 말이 트였고

한 방향만 볼 것 같던 우리들은
저마다 다른 길을 생각하고 있었다

그렇게 하루하루가 지나가면
우리는 영영 볼 수 없겠지

이불

정여진

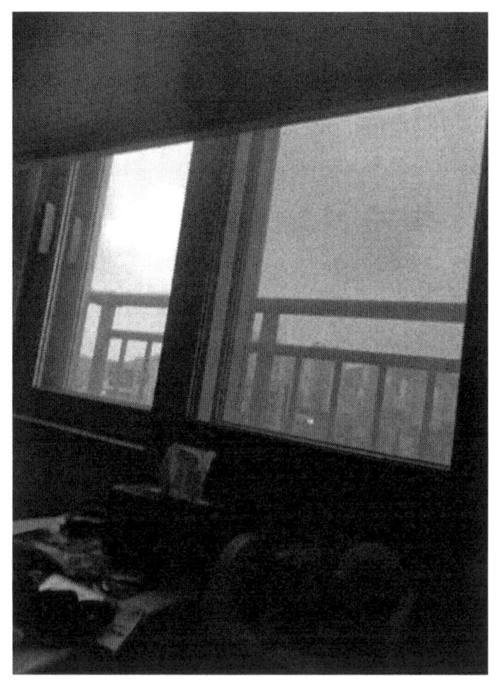

침대에서 찍은 사진
폰 두고 가기 마저 허락 하지 않는 이불과 한 몸이 되어
밤새버린 작가
tmi 요즘은 이불을 잘 내친답니다.

이불속 따뜻한 공간이
나를 "히히 넌 못가"하고 붙잡는다

일어나서 학교 가야 하는데
하면서도 붙잡히며
알람을 뒤로 미룬다

이불속에서 뒤척이며
아 오늘도 늦게 일어났네
그런 김에 더 자자란
생각으로 더 잔다

이불은 제 주인을
자기의 안에 성공적으로 붙잡았다

침대 안

임지환

침대에 누워 상상하기를 좋아하는 우주적 공상가
하지만 아직까지는 평범한 중학생

내가 좋아하는 침대 안!

나는 침대에 누워 쉬는 것을 가장 좋아한다.

또한 침대에서 스마트폰을 하고 게임하는 것도 좋아한다.

침대에서 상상하는 것도 좋아한다.

이와 같이 내가 침대를 좋아하는 이유는 침대에서 할 수 있는 일이 많아서다!

침대는 따뜻하다. 음식만 있으면 하루종일을 침대에서 보내는 것도 가능할 것 같다!

침대 안은 넘사벽이다! 감히 다른 곳은 침대에 범접할 수 없다!

….- 임모 군의 글

이라고 합니다. 뭐, 자세한 건 임모 군만이 알겠죠.

침대 밑

김지수

바보 같지만 바보인 사람

침대 밑을 보면
먼지가 남아있듯이

내 안을 보면
그리움이 남아있다

침대 밑을 보면
가끔 동전이 있듯이

내 안을 보면
가끔 희망이 보인다

이렇듯
침대 밑을 보면

내 내면이 생각나는 건
어쩔 수 없겠지

학교

정여진

학생이라는 죄는 학교라는 교도소로 나를 유치한다.

일찍 와서 좀 늦게 가는 작가랍니다.

개학한 지도 꽤 됐는데 왜 이리 가기 싫은 건지.

분명 교실은 즐거운데

분명 도서관 가는게 좋은데

분명 수업이 마냥 지루하진 않은데

왜왜 난 아직 방학의 시간이 살고 있으며

등교준비 해야 하는 아직도 이불 속인 건지 답이 정해져 있어

교실

김주영

학교에 가는 평범한 중학생.

하지만 나와 같은 평범한 교실을 다른 의미로 본다.

지금은 꿈을 향해 걸어나가는 중이다.

우리는 오늘도 학교에 간다
매일 아침 학교에 갈 때면
제일 먼저 들어서게 되는 교실

매일 아침 교실은 반겨준다
서로 인사 나누는 친구들과
그들의 인사에 웃어주는 우리를

교실에서 반짝하는 빛이 있든
왠지 모를 막막함이 있든 그 공간은
그냥 반 교실인데

가끔씩 나는 우리 반 교실 안이
남은 시간까지도 언제나 맑고 깨끗하기를 바라면서
학교에서의 하루를 정리해본다

수학의 길

김지수

바보 같지만 바보인 사람

답이 정해져 있어
느껴지는 안도감

내가 할 수 있을까?
느껴지는 불안함

앞길이 보이지 않아
느껴지는 두려움

찍어야지
느껴지는 식은땀

맞췄네??
느껴지는 뿌듯함

풀이를 봐도 모르겠어
느껴지는 초조함

드디어 이해가 돼

시험

오은하

어린아이 같이,

아직 모순덩어리인 사람입니다.

차분한 공기와
숨죽인듯한 고요-한 분위기

종이 울리자마자
펜을 재빨리 낚아채는 손들

점점 들려오는
차르-륵 종이 넘기는 소리

숨이 조여오는
고조되는 긴장감

동공는 흔들리고,
시간은 잡아먹힌듯 순식간에

끝내 치는 종과 함께
달아나버리는 내 시험지

산들바람

오은하

어린아이 같이,

아직 모순덩어리인 사람입니다.

살랑살랑, 스치는 바람
가볍게 넘실거리며 지나갔다.

눈 깜짝할 새에
나에게 스쳐 지나갔다.

그래도 곁에 있어 줬으면 했지만,
고작 산들바람에 불과했다.

그 이상도 그 이하도 아닌,
산들바람이었다.

감정 바다

정재은

책에는 전혀 관심이 없었지만 책을 만들면서 점점 더 책에 관심을 갖게 된 학생.

감정은 바다 같다

어느 날은

갑자기 감정이 파도처럼 몰아치고

아니면 또 어느 날은

밀물처럼 감정이 넘쳐흐르고

아니면 또

갑자기 썰물처럼 감정이 진정된다

아니면

바다에 우리가 모르는 많은 물고기들이 있듯이
내 감정들도 아직 내가 모르는 감정들이 많을 것이다

책

오은하

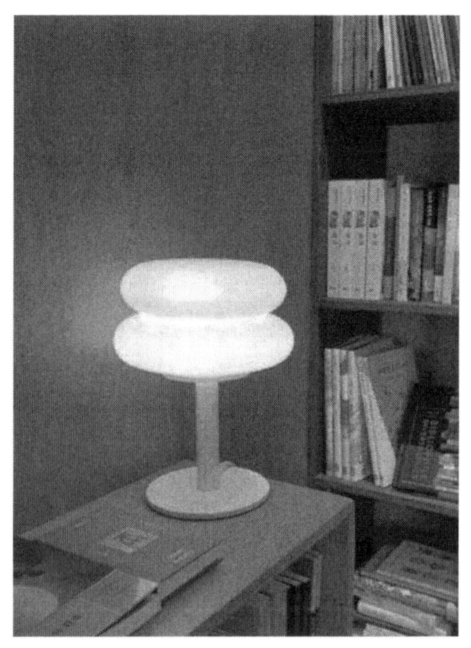

어린아이 같이,

아직 모순덩어리인 사람입니다.

여러 가지 맛이
느껴지는 다양한 책의 표지

읽을 때마다 은은하게
느껴지는 책의 향기

책을 넘길 때마다
알게 모르게 느껴지는 사각거림

촛불처럼 불면 훅 꺼질 듯 말 듯한
굴곡진 책의 내용

가속도가 붙어
사냥하듯 점점 빨라지는 눈동자

책은 시간제한 없는 타이머

도서관

정여진

시험공부 하기 싫다고 도서관으로 도피하는 사람
아예 도서관에서 일하는 게 장래희망인 사람
도서관에 누구보다 많이 찾은 찾을 사람
나는 도서관의 도서위원입니다.

나의 안식처

나의 행복

나의 버팀목

내가 학교에 오는 이유

내가 집보다 내 방보다 편안한 공간

버찌책방

오현서

사실 책 읽는 것도 별로 안 좋아하고 글쓰는 것도 그닥 좋아하진 않았지만 동아리활동을 통해 책에 대해 관심도 조금씩 생기고 글을 쓰는 것에도 흥미가 생긴 평범한 중2.

사람들이 붐비는 대형서점이 아닌
산속 깊은 곳에 위치한 책방

사람들의 말소리 대신 책을 넘기는 소리와 잔잔한 음악 소리
넓지는 않지만 독립 서점의 고요하며 잔잔한 분위기
은은하게 풍기는 커피 향
표지와 내용이 다양한 책꽂이에 꽂힌 책들

이것들은 나에게 새로운 경험을 주었다
이것들은 나에게 특별한 추억을 주었다

여름 밤바다

이효주

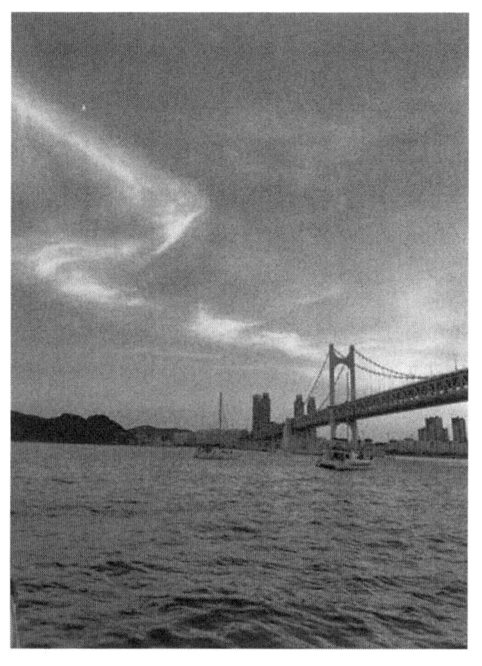

반려동물을 좋아하는 십 대 작가.

여름이 다가오는 오늘
생각나는 여름 밤바다

여름이 다가오는 오늘
보고 싶은 여름 밤바다

얼른 여름이 왔으면 좋겠다

가을

이민주

책에 관심도 없고 마냥 놀기만 좋아하는 학생이었지만 이제는 꿈을 이루기 위해 열심히 노력하고 있는 학생

바람이 분다
선선한 바람이 내 마음도 불게 한다

낙엽이 흩날린다
내 마음도 흩날리게 한다

구름 하나 없는
넓고 푸른 하늘 아래
너와 나

전주의 향기

오예은

약간 모자람 온통 실수 투성이지만 이런 실수 투성이 인생이라도 좋아! 건배~!

전주의 향기는 가을이었다

아침의 전주는 느긋하고 여유로웠다

한복을 입은 행복해 보이는 사람들의 웃음거리가 더 들뜨게 만들었다

조용한 최명희 문학관에서는 책 냄새가 났다

고양이를 따라간 작은 서점에서는 햇빛 냄새가 났다

곰살가운 가을이었다

군중 속의 골목

이지윤

얼른 자라고 싶지만 한편으로는
아직 부모님의 품이 좋은 중학생.
자신만의 세계관을 구축하고 있는 중이다.
언제 끝날지는 모르지만.

놀러 왔지만 작은 나를 보러 와줘요.

쉬러 왔는데 힘들지 않았나요?

정신이 없어 혼돈스럽지 않았나요?

이리 와요. 내가 그 꽉 찬 머릿속을 비워 줄게요.

저기 책방의 고양이를 봐요.

골목에 숨겨진 어여쁜 한옥을 봐요.

맛있고 달콤한 간식들도 봐요.

언제든 또 오세요.

저는 쉬러 온 당신에게 쉼을 선물하고 싶어요.

나중에 봐요. 저는 여기 있어요.

전주한옥마을에서

함초롬하게.

오감전주(五感全州)

공예주

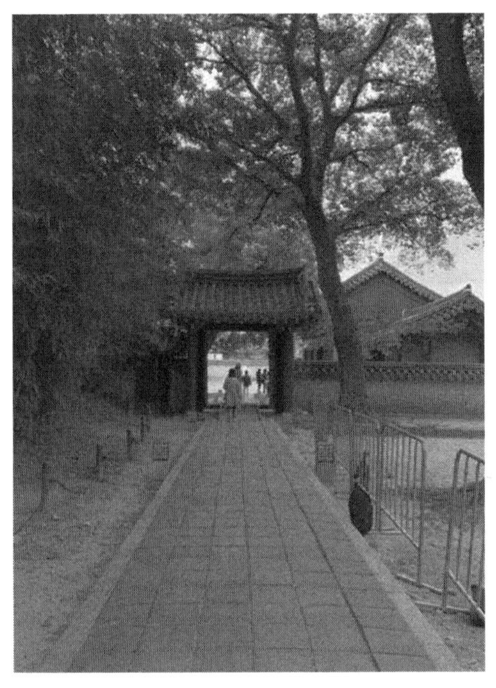

바다를 건너보기도, 산을 올라보기도, 우주를 여행해 보기도, 하늘을 날아보기도. 14년 동안 나를 찾는 중.

전주를 맛보자

소담한 전주비빔밥

바삭바삭 꽈배기

전주를 맛봤다

전주를 담아보자

한옥마을의 길거리

보들보들 고양이

맑은 하늘

전주를 담아 저장했다

전주를 맡아보자

서점의 책 냄새

갑자기 온 비 냄새

향긋한 나무 냄새

전주를 맡았다

서리꽃

허서연

잔잔한 물결 위 떠다니는 연꽃잎처럼 하루 하루를 단조롭게 보내고 싶은 허서연입니다. 제 시가 나비가 되어 여러분의 마음에 닿길 바랍니다.

예쁘게 피어있다가도
다가가면 없어지는 너

잡을락 말락
옷깃에 스치네

나도 알아 잡지 못할 거
나도 알아 꿈도 못 꾸는 거

헛된 희망이라도
네가 사그라져도

내 마음속에는
언제나 피어있는 너

우정

박지민

너와의 시간은 짧았지만
너와의 추억은 길다.
짧고 긴 우리의 시간이 영원하길…….

어둠한 밤
깜깜한 밤

작지만 크고
어둡지만 밝은
그런 방에 너와 있어
그런 방은 네 웃음이 만들었어

차가운 밤
으스스한 밤

차갑지만 아늑하고
무섭지만 재밌는
그런 방에 재미로 이 방을 가득 채우는 너가 있어
무섭지만 너가 함께 있어

지금처럼 같이 있어줘
지금처럼 변하지 말아줘

괜찮지 않아

박세연

나를 이상하다고 하는 사람들에게 말해주고 싶다.

나에게 있어 그건 최고의 칭찬이라고.

손가락이 부러졌어
글씨를 잘 쓸수가 없어 그치만 괜찮아

다리를 다쳤어
잘 걸어다닐 수가 없어 그치만 괜찮아

이가 몽땅 부러졌어
말을 잘 할 수 없어 그치만 괜찮아

피부가 벗겨졌어
무척 따가워 그치만 괜찮아

눈알을 뽑혔어
앞이 잘 보이지 않아 괜찮지 않아

왜냐고? 그야 이러면 네 얼굴을 볼수가 없는걸

미로

오은하

어린아이 같이,

아직 모순덩어리인 사람입니다.

길을 계속 걷다보면,
어떠한 미로에 갇히게 된다

그 미로는 나가고 들어가는 길
외에는 딱히 보이지 않는다

직면하고 싶지도, 보고 싶지도 않아
오늘도 괜히 미로 안에서 빙빙 돌기만 한다

뻔히 보이는 답을 회피할 뿐,

그냥 그렇게 아무렇지 않게,
미로 속에서 돌아다닐 뿐이다

미로는 더 어렵게 나오지만, 나는 이미
답을 알고 있는 미로이다

그저 그 미로가 답이 안 나오길 바라며
회피할 뿐…….

전지적 창문 시점

정진현

주변 사물에 감정 이입하기를 좋아한다. 하루 종일 내 방 만을 바라볼 창문이 그려낸 내 하루는 어떨까 싶다.(내가 힘겹게 찍은 위의 하늘 사진을, 창문은 매일매일 마음껏 즐길 수 있다는 게 한편은 부럽다.)

[아침]

'드르륵 드륵 탁'
커튼이 걷히고 매일 보는
핑크색 벽지로 도배된 방이 보인다

그리고 침대 위 꿈틀대는
거대한 이불 덩어리(?)
아니 지금이 몇 신데
얜 아직도 안 일어나니……?

'쿵쿵 탁! 두다다다…….'
이불 덩어리였던 것이
허물에서 벗어나 정신없이 뛰어다닌다

저 애가 하루 중 가장 빠른 순간,
저 요란스러움에서
어떻게든 지각을 피하겠다는
간절함이 느껴진다

[오후]

(효과음 생략)
아, 효과음을 생략하는 이유는
저 애는 학교에서의 기분에 따라서
집에 오자마자 내는 소리가
다르거든

그래도 부지런한 건,
가방이랑 겉옷은 제자리에 두더라
바닥에 뒹구는 건 자기만으로도
충분하다라나 뭐라나

참, 이 시간엔 햇빛이
방 벽까지 뻗거든
내 등은 정말 뜨거운데
방 안은 예쁘더라
그냥… 그렇다고
창문도 감성이란 건 있어

[저녁-다급한 하루의 끝]

'다녀왔습니다아!!'

그래그래, 잘 다녀왔겠지

나도 저 애가 뭐 하는지 중계해주고 싶은데

밖이 이미 어두워져서 눈에 뵈는 게 없단다..

'탁탁!'(불 켜지는 소리)

아, 이제 보인다

저 애는 날 보더니 눈살을 찌푸린다

그러고는

성큼성큼 걸어온다

아니 왜 그렇게 보는거야..;;

'드르륵'

아니 왜 밤만 되면!!

'드르르륵'

날 그렇게!!!

‘탁!’

째려보는건ㄷ…….

그렇게 내 하루는 끝이 난단다

알고 보니

내가

자기 방을

너무

대놓고

비춘다란다…….

소설의 공간

space:

빈 공간,

그리고 무엇이든 될 수 있는 우리들

공간 바깥의 관객

임지환

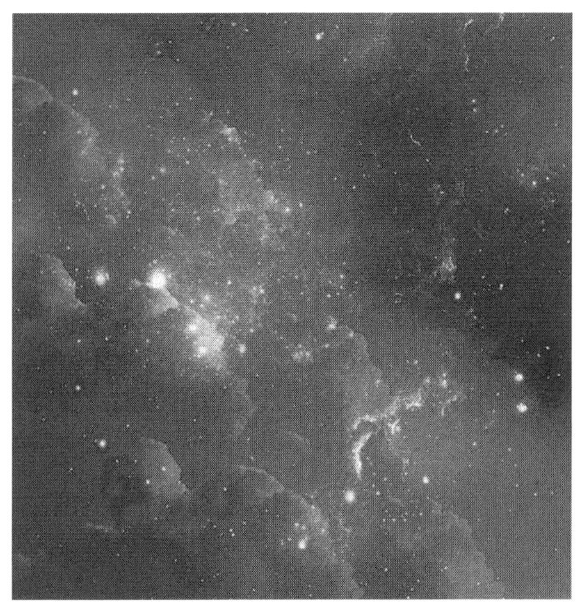

침대에 누워 상상하기를 좋아하는 우주적 공상가
하지만 아직까지는 평범한 중학생

아무것도 없는 공간에, 한 존재가 있었다.

그는 주변을 둘러보았지만, 당연히 아무것도 없었다.

자그마치 3억 년이 지난 후, 그는 움직이기 시작했다.

그는 주변을 돌아다녔지만, 당연히 아무것도 없었다.

움직임이 무의미하다는 것을 깨달은 존재는 가만히 생각만을 계속했다.

그는 외로웠다.

5억 년이 지났다.

그는 공간과 동화되어 신격으로 올라섰다.

하지만 그는 외로웠다.

그래서, 그는 계획 없이 무언가를 만들기 시작했다.

그는 무언가를 만들면 만들수록 창조의 열망이 불타오르기 시작했다. 그리고 그 열망이 정점에 다다랐을 때,

대폭발과 함께 우주가 시작되었다.

그 후 몇십 억 년 동안, 그는 규칙을 만들고, 우주를 입맛대로 바꾸어 나갔다.

하지만 우주가 창조된 지 90억 년이 지나고, 우주는 그가 감당할 수 없는 수준으로 커졌다.

그래서 그는 우주를 그대로 내버려 두고, 더 작은 공간을 보기 시작했다.

그는 우주를 돌아다니며, 여러 신비한 광경들을 보았다.

그중 하나는 좀 특이했다.

여느 창조물들과 다르게, 그곳은 완벽했다. 물이 있었고, 온도가 적당했으며, 거대한 자기장이 있었다.

그는 또다시 창조의 열망으로 불타올랐다.

그는 섬세하게 '생명'을 만들고, 여러 특징과 잘 짜인 체계를 주었다.

창조물들은 그가 만든 공간을 돌아다녔으며, 점점 발전하기 시작했다.

그는 그의 창조물들이 돌아다니는 공간을 보며 울고 웃었다.

그는 공간을 만든 '창조주'가 아닌 공간을 지켜보는 '관객'이 되

었다.

반복

이서하

내가 멋있는 사람을 보고 동경의 눈빛을 보내는 것처럼 누군가 나를 보고 꿈을 꿨으면 좋겠다. 이슬아 작가를 보고 내가 꿈을 정한 것처럼 적어도 어떤 한 사람에게는 내가 꿈이 되면 좋겠다. 그렇게 꿈을 주는 멋진 사람이 되고 싶어서 나름대로 노력하고 있다.

사람들은 바빴다.

대단한 이유는 아니었다. 단지 시간을 향해 비난 섞인 한마디를 뱉느라 여념이 없을 뿐이었다.

마치 누가 더 시간에게 시린 상처를 주는지 겨루기라도 하는 듯했다. 그들은 그렇게 무수히 많은 비난들을 뱉어냈다. 간혹 시간은 죄가 없다며 알량한 동정심을 넌지시 내비치는 이들 또한 있었다. 그러나 시간을 향한 무참한 비난을 멈추지는 못했다. 혹은 비난을 막아내기엔 지니고 있던 동정심이 너무나도 작아서 포기해 버린 것일 수도 있었다. 어쩔 수 없었다는 말 뒤에 숨어버린 것이다. 어쩌면 애초부터 시간에 대한 커다란 애정이 없었기에 막아낼 의지조차 가지지 못한 것일지도 몰랐다.

비난의 이유는 없었다. 시간은 언제나 그들 주변에 존재했으며 누구의 잘못도 아닌 일에 대한 책임을 묻기에 가장 쉬운 존재였으니, 그뿐이었다.

-시간이 없었어!

-시간 더럽게 빨리 가, 너무 바빠…….

시간은 마음 한 켠에 제가 입은 상처를 단단히 숨겨 삼키고자 애썼다. 그러나 계속된 비난은 더 이상 숨기지 못할 만큼 커지더니 곧이어 시간을 집어삼켰다.

시간은 결국 영원같이 흐르던 모두의 나날들을 멈췄다. 시간은 스스로를 잃었고, 이제는 흐르지 않았다.

입에 바른 소리를 내뱉으며 성인군자를 자칭하던 이들도, 평화를 외치며 또 다른 평화를 깨뜨리던 이들도, 오로지 성공만을 좇으며 다른 이를 짓밟아 올라서던 이들도 모두가 멈출 수밖에 없었다.

잔잔히 흐르며 세상을 감싸던 따스함 또한 사라져 세계는 숨막히는 차가움 속에서 모든 것을 멈춰갔다.

점차 세계는 절망 속으로 치닫으며 얼어붙었다.

사람들은 시간을 향한 그리움을 끊임없이 내보였다. 비난을 뱉어내던 과거를 잊은 듯, 아니면 처음부터 그런 매서운 말을 한 적은 추호도 없다는 듯이 사람들은 시간을 갈구했다.

그러나 멈춰버린 시간은 다시금 흐르지 않았다.

똑같은 나날이 반복됐다. 어른이 되기를 부푼 마음을 다잡고 간절히 기다리고 있던 꼬마들은 더 이상 자라지 않았다. 눈을 감을 날만을 기다리며 죽을 만큼 괴로운 고통을 지녔던 이는 희망을 잃었다. 가장 행복한 순간에 있었던 이는 행복을 만끽하면서도 끝

없는 반복에 그 행복은 가치가 사라졌다. 가장 불행한 순간에 있었던 이는 절망 속에서 발버둥 쳤다.

세상이 망가져 가는 것을 가만히 두고 볼 수 없었던 누군가 새로운 시간이 되기를 자처했다. 사람들은 그를 칭송했고 수많은 찬사를 입에 담았다. 두려워하는 그를 향해 다시는 죄 없는 이를 책망하지 않을 것이라고, 모두가 그렇게 말했다. 어깨를 짓누르는 부담감에 긴장 따위의 감정이 고개를 치켜들었으나 그는 아무렇지 않은 척하기 위해 노력했다.

그로 인해 시간은 다시금 흐르기 시작했다. 아이들은 꿈을 향해 자랐고 어른들은 꿈을 잊고 바쁘게 시간을 흘려보냈다. 아무 일도 없었던 것처럼, 시간이 멈춘 적은 단 한 번도 없었던 것처럼, 아늑한 꿈속의 이야기처럼 모든 것이 제자리를 찾아갔다. 찬사를 뱉으며 그를 향해 무한한 존경심을 표하던 이들조차 돌아온 따스함에 그를 잊었다.

시간은 외롭고 쓸쓸하게 정처 없이 흘러갔다. 누구도 그를 기억하지 못했다.

-시간을 착각했어. 오늘따라 더 빨리 흐르더라고.

시간은 덜컥 숨이 막히는 것을 느꼈다.

누군가 단 한 번 비난을 입에 올리자 시간을 향한 사람들의 시선은 점차 거세졌다. 따가운 시선을 받아들이며 시간은 조금씩 망가지기 시작했다.

몇몇 사람들은 얕은 동정심을 품었다. 그 동정심이 조금만, 아주 조금만 더 깊었더라도 시간을 향한 비난은 사그라들었을 테지만 사람들의 같잖은 감정은 그러지 못했고, 그러지 않았다.

시간은 또다시 스스로를 잃어갔다.

영영 잊혀질 것만 같았던 불행은 반복되고 있었다.

누군가

이서하

내가 멋있는 사람을 보고 동경의 눈빛을 보내는 것처럼 누군가 나를 보고 꿈을 꿨으면 좋겠다. 이슬아 작가를 보고 내가 꿈을 정한 것처럼 적어도 어떤 한 사람에게는 내가 꿈이 되면 좋겠다. 그렇게 꿈을 주는 멋진 사람이 되고 싶어서 나름대로 노력하고 있다.

1.

사랑해, 보고 싶을 거야.

로맨틱한 고백이었다. 오랜 시간 사랑을 주고받던 연인의 끝이 해피엔딩으로 물드는 순간일 가능성이 다분했다. 물론, 그 로맨틱한 고백을 받은 당사자가 아직은 앳된 외모의 소년이라면, 고백이라기보다는 여느 꼬마들의 소꿉놀이에 불과한 취급을 받을 것이 분명했기 때문에 소년의 제법 진지하고 깊은 눈빛은 보는 이의 웃음을 사기에 충분했다. 누군가는 "요즘 애들이란……." 하며 혀끝을 끌끌 찰 수도 있겠다.

소년은 작은 포스트잇 속 한껏 제 모습을 뽐내는 반듯한 글씨를 말없이 응시하고 있을 뿐이었다. 그 또래 아이들이 연애 상대에게 끈적한 사랑 고백을 받았을 경우 내보일 환희에 찬 탄성이나 수줍은 미소 같은 지극히 감정적인 반응은 차마 고개를 들지 못하고 저 멀리 달아나 버린 것이 분명했다.

이윽고 소년은 그 노란빛의 포스트잇에서 시선을 거뒀다. 다소 과격한 손짓으로 포스트잇을 떨어뜨린 행동은 소년의 심기가 단단히 뒤틀렸음을 의미했다.

어쩌면 큰 용기와 다짐을 가지고 한 자 한 자 꾹꾹 눌러 써낸 메시지일 수도 있었다. 그 메시지를 넘어 얼굴을 새빨갛게 붉히고 긴장한 소녀가 서 있을 수도 있는 노릇이었다. 그러나 어찌 됐든 소년의 잔뜩 구겨진 얼굴을 통해 누군가의 고백이 무참히 버려졌다는 것을 자못 짐작할 수 있었으며, 그것은 그다지 유쾌한 일이 아니었기에 떨어진 포스트잇은 알 수 없는 이에게 심심한 위로를 건네는 것이었다. 흔히 어른이라 칭하는 이들이 보기에는 우스울지도 모르지만, 사랑을 겪고, 실연의 아픔을 느끼는 일은 사춘기 아이들에게 종종 있는 일이었으므로 소년도 그 나이대에 맞는 평범한 일상을 보내는 중이라 말할 수 있었다.

끈적하고 텁텁한 기운이 기어 올라왔다. 수많은 나무에 가려져 제대로 된 햇살조차 바닥에 흩뿌리지도 못하면서 꼴에 여름이라고 제 존재력을 드러내는 듯했다. 가득한 어둠이 그 끈적한 공간을 집어삼킬 때까지 소년은 잔뜩 찡그린 얼굴에 금방이라도 눈물 한 방울을 뚝 떨어뜨릴 것만 같은 표정을 띄웠다.

2.

소녀는 목이 말랐다. 이 세상 모든 것을 태워버리려는 듯 뜨겁게 내리쬐는 햇빛에 숨이 턱 하고 막혀왔다. 가만히 자리 잡은 나무들은 흩뿌려지는 햇빛들을 막아내지 못했다.

소녀는 아주 어릴 때부터 자신을 둘러싸 버린 이런 갈증이 지겨웠다. 날이 밝아오는 시간에서 시작되어 크고 예쁜 달이 고개를 내밀 때까지 계속되는 고함과 간혹 섞이는 한숨 소리 따위는 당연하게도 어른들에 대한 반감을 심어주었으며, 작은 아이가 마땅히 받아야만 하는 따뜻한 감정들을 향한 맹목적인 갈증을 느끼게 했다.

다섯 살배기 꼬마도 그리 유치하게 사사건건 다투지는 않겠다, 하고 중얼거리며 잠이 들기를 하루, 이틀, 사흘, 나흘... 수도 없이 반복하고 나서야 소녀는 그렇게 지긋지긋한 갈증을 해소할 길을 찾고 말았다. 퍽 좋은 이유에서는 아니었다. 부모님의 '평생토록 함께하겠다'는 다소 희망적인 약속이 한 순간에 산산히 깨져버린 날, 유독 괴로운 갈증이 저를 괴롭혀 정처 없이 집을 나와 발걸음을 내디뎠을 때 도착한 그 숲속 나무 앞에서 갈증은 곧이어 모습을 숨겼다. 숲은 소녀의 뇌리에 새겨져 소녀는 의미 없이 무한한 시간을 그곳에서 보냈다.

소녀는 나무에 몸을 기대고는 마음 한켠에 깊숙이 숨겨놓은 부정적인 감정들을 살랑이는 바람에 맡겨 흘려보냈다. 그 감정들에 가려져 느끼지 못했던 애정이니, 행복이니 하는 사랑스러운 것들에 대한 끝없는 갈증이 사라졌다. 영원처럼 길었던 시간이 지나 소녀는 어른이 됐다.

3.

어느 날부터 소년의 시선 속에는 소녀가 드리앉았다. 바람이 머리카락을 가볍게 흔들어도 개의치 않고 그저 웃음 짓는 소녀가 눈에 밟혔다. 소녀를 바라보고 있노라면 여름이 물씬 느껴지는 숲 특유의 푸른 냄새가 코끝을 간질였다. 소녀는 날이 뜨기가 무섭게 다시금 모습을 드러내 한참을 머물다 가곤 했는데, 소녀가 속내를 털어놓을 때면 소년은 두 눈을 감고 귀를 기울였다.

소년은 적어도 소년과 함께 있는 순간에는 소녀의 마음이 다치지 않기를 소망했다. 그래서 늘상 두 팔을 움직여 조심스레 소녀를 감싸 안았다. 소녀를 향한 감정이 호기심에서 애정으로, 애정에서 사랑으로 바뀌는 것은 찰나의 일이었으나 그 찰나의 순간 동안 소녀는 어른이 되어버렸다.

4.

사랑을 받지 못한 아이는 어른이 되지 못한다.

5.

소녀는 어른이 된 어느 여름날 제 어린 시절을 포스트잇에 꾹꾹 눌러 담았다.

사랑해, 보고 싶을 거야.

소녀를 닮은 작은 글씨체가 오밀조밀 샛노란 종이 속에 새겨졌다. 소녀는 그 작은 조각을 늘상 함께 시간을 보내곤 했던 나무 위에 조심스레 얹어 붙였다.

소년은 소녀가 떠나지 않길 바라며 고개를 저었다.

-나무가 크게 흔들리며 포스트잇이 주체할 수 없이 땅바닥을 뒹굴었다.

소년은 소녀의 눈을 바라보았을 때, 더운 갈증만이 가득했던 그 공간 속에 여름빛이 물드는 것을 보았다. 그래서 소년은 울 것 같은 마음을 꼭 숨기고 소녀에게 손을 흔들었다.

-소녀가 뒤돌아 갈 때, 나무가 만들어 낸 작은 바람이 소녀를 마중했다.

6.

소녀가 알 수 없는 사이에 나무는 소녀를 사랑했다.

7.

누구나 어른이 된다. 그리고 이는 누군가 당신을 사랑하고 있다는 것을 뜻한다.

길가의 작은 돌멩이, 스쳐 가는 바람, 자리 잡은 나무, 혹은 가까운 사람일지라도 어떤 형태로든 모든 이는 사랑받고 있다.

조금씩 어른이 되어가는 과정일 것이다.

Lovers in Seoul

이지윤

얼른 자라고 싶지만 한편으로는
아직 부모님의 품이 좋은 중학생.
자신만의 세계관을 구축하고 있는 중이다.
언제 끝날지는 모르지만.

따갑다고 해야 할지 따사하다고 해야할지 모를 눈부신 햇빛이 나의 눈을 괴롭혀 깨웠다.

침대 옆 창문은 매일 아침 나에게 오늘의 여행 일정을 알려주고는 한다.

오늘은 밖이 더우니 집에서 여행을 즐기는 것이 좋다고 말하는 것인가보다.

나는 이 매일의 충고를 꽤나 잘 듣는 중이다.

언젠가 내가 이 일정을 무시한 채 함부로 했다가 큰 코를 다친 적이 한 두번이 아니기 때문이다.

하지만 오늘은 조금 어겨보고 싶은 마음이 불쑥 들어버렸다. 그저께 어제 오늘까지 연속으로 날씨가 더워 집에만 박혀있기에는 여행이 여행이 아니기 때문이다.

매일의 여행이 특별해지려면 조금은 일정을 고쳐도 되지 않을까?

주섬주섬 옷을 갈아입고 창문의 외침을 뒤로 한채 밖을 나섰다. 밖은 역시나 더웠다. 그러나 오늘 아침 나를 깨웠던 햇빛은 생각보다 따갑지는 않았다. 밖을 나와 우리 집을 보았다. 나의 조그만한 방도 보인다. 어릴 때 붙여놓았던 스티커들이 더럽게 붙어있는, 항상 나에게 오늘의 여행 일정을 알려주는, 내가 오늘 무시했던 창문도 어렴풋이 보인다. 내가 방에서 책상에 앉아 창문을 가만히 내다만 보았던 세상은 3일만에 어느새 새로운 여행 지가 되었다. 3일 전 놀이터에 앉아있던 고양이 대신 어린아이들이 땀을 뻘뻘 흘리며 뛰놀고 있었고, 조금은 휑해보였던 푸른색 나무는 어느새 새로운 골프장개업을 홍보하는 포스터와 함께 나타났다. 그리고 그 애도 오늘은 저번보다 더운지 반팔 반바지와 아이스크림을 든 채 정자에 앉아있었다. 여행지는 바뀌었지만, 그 애는 정자에서 잠시 무엇인가를 생각하는 듯 오늘도 가만히 노래를 들으며 눈을 감고 있었다. 그 애를 발견하자 발끝이 제멋대로 그쪽으로 방향을 돌렸다. 그리고는 한발 한발 조심스레 걸어가 어느새 그 애의 앞에 서있었다.

인기척이 느껴졌는지 그의 진한 눈썹이 움찔하며 눈을 천천히 떠 나를 바라보았다. 그리고는 엉덩이를 옮겨 내가 앉을 자리를 마련했다. 나는 아무 말 하지 않고 그 자리에 앉아 그 애를 바라다보았다. 내가 생각해도 부담스러웠던 시선에 그 애의 눈동자는 흔들리더니 나에게 자신의 이어폰 한쪽을 나에게 건넸다. 그의 하얀 이어폰 속에서는 'lovers in seoul'이 흘러나왔다.

평화롭고 따사로운 일요일 오전은 다채롭게 저마다 색을 뿜어냈다. 내가 오늘 여행 일정을 어긴 게 다행이라는 생각이 드는 순간이다. 나는 다시 나의 조그만 창문을 바라다보았다. '오늘은 너가 틀렸다, 창문 녀석아.'

책이 만든 사람

임채율

누군가를 응원해주는 치어리더,

별 같이 빛나는 꿈을 찾고 있다.

오늘은 비가 왔다. 비가 오든 오지 않든 내 마음은 항상 태풍이다. 모든 것을 쓸어버려 나중엔 황폐하게 만드는 그런 태풍. 하필이면 시험 기간이라는 큰 토네이도가 내 마음을 한 층 더 아수라장으로 만든다.

이럴 땐, 난 보통 책을 읽는다. 태풍이 쓸어간 자리는 사람들의 노력으로 다시 생활의 터전이 되기 마련이듯이 책은 아수라장이 된 내 마음을 고요하게 만들어 준다. 그리고 마음속에 새로운 집을 짓기 위해 절망하던 나를 다시 일으키고 터덜터덜 내 마음의 대피소인 책방으로 향한다.

책방엔 나를 항상 반겨주는 어른이 하나 계신다. 내가 무슨 일이 있더라도 항상 환하게 반겨주는 강아지 같으신 분. 비록 남들이 볼 땐 책에 끼여 사는 할망구일지라도 나에겐 스승님 같으신

분이다. 오늘도 마찬가지로 이분을 만나 비가 오던 내 마음에 다시 햇볕이 들어오기 시작했다.

"어 왔어? 여기 새로 들어온 책들 많아. 좀 읽다 가"

하지만, 이 서점에는 다른 서점과 다른 특이점이 있다. 이곳의 책들은 다른 책들과는 사뭇 다르다.

책방에 가면 사람이 한 명밖에 없어도 항상 웃음소리가 가득하다. 바로 책들이 서로 떠드는 이야기 소리이다. 처음에 이 소리를 들었을 땐, 내가 미친 줄 알았지만, 지금은 책들과 많이 친해졌다. 서로 하루에 있었던 일을 얘기하기도 하고 슬펐던 일을 털어놓기도 한다. 그래서 책들은 이제 나의 표정만 봐도 하루의 일을 짐작할 수 있었다.

"쟤는 오늘도 기분이 안 좋은 것 같네."

"야 몰랐어? 요즘 학생들 시험 기간이잖아. 스트레스 받겠지. 또 쟤가 얼마나 노력하는데! 쟤 전교 1등이잖아."

철학책과 소설책이 싸우고 있는 소리이다.

"야 신참들! 얘는 우리 서점의 단골. VIP이시다. 깍듯이 대해"

운동 책이 말하였다. 항상 책인데 어떻게 저런 말들을 알까 궁금하다.

"안녕……하세요?"

새 책으로 들어온 그리스 로마 신화 책이 인사하였다. 그리고 줄지어

"Hello!"

외국책들도 들어왔다. 그래서 난 오늘도 책들과 도란도란 이야기를 나누었다. 서로 자신의 이야기도 알려주었다. 그러다가 편안한 분위기에 난 책들에게 나의 고민을 털어놓게 되었다.

"사실 전교 1등이라는 게 쉽게 되는 게 아니잖아? 나도 엄청 노력해서 1학기 중간고사 때 1등을 했는데, 이번에도 1등이 될 수 있을까? 내가 전처럼 열심히 노력을 안 하는 걸까? 난 아무것도 안 하는데 왜 시간은 이렇게 빠르게 갈까? 난 도대체 무엇이 되고 싶은 걸까? 나도 모르겠어."

난 순식간에 해질 대로 해진 마음속의 응어리들을 털어놓기 시작하였다. 솔직히 이런 이야기들을 엄마, 아빠한테 하기는 싫다. 항상 1등만. 성적만 바라시는 분들에게 뭐 하러... 그래서 난 이런 이야기들을 종종 책들에게 털어놓는다. 많은 조언들을 해주는 책들이 있지만 난 그중에서 철학책이 가장 좋은 조언자라고 생각한다. 다른 책들은 보통 조언만 해주지만 철학책은 항상 나에게 공감을 해준다. 그리고 또한 내가 이 터널 속에서 빠져나갈 빛을 제공해 주기도 한다.

"그렇지, 1등 되기 어려울 거야 약 300명 가운데에서 제일 잘해야 하는데 당연히 힘들지 근데 너 그건 알아? 어둠 속에서 새싹이 자란다는 말 있잖아.

그런 말들을 명심해 비록 꼰대질처럼 보일지 몰라도 진짜 그렇다니까? 야 난 여기 온 수많은 인간들을 보았어. 어떤 때는 내 친구를 찢기도 하고 코딱지를 묻히기도 해. 그런데 난 괜찮아. 언젠가는 이런 시련들을 이겨낼 수 있을 거라는 희망이 있으니까. 그러니까 항상 너 자신에게 말해. 괜찮다고, 잘 해낼 수 있을 거라고. 그렇게 말해봐. 그러면 어느 순간 꽃이 되어있는 너 자신을 발견할 수 있을 거야."

생각해보면 굉장히 이상한 상황이다. 보통 책은 사람이 만드는데, 그런 책이 사람을 가르치고 있다니. 하지만 이런 말이 있다.

'사람이 만든 책보다 책이 만든 사람이 더 많다.'

나는 이 책방이라는 공간에서 책으로 인해 새싹으로 자라고 있다. 책으로 인해 나라는 사람이 하나 만들어지고 있다.

Cheer Leader

임채율

누군가를 응원해주는 치어리더,

별 같이 빛나는 꿈을 찾고 있다.

1. 삶=고통?

여느 때와 다르지 않은 평일의 아침이 다가왔다. 시끄럽게 울려대는 알람 때문에 일찍 눈이 떠졌다. 오늘도 하루를 시작해야 하지만, 침대를 끌어당기는 내 몸 때문에 쉽게 일어나지 못했다. 어느새 내 마음은 따뜻한 침대 안으로 파고들고 있었다. 성인이 되어도 학교에 가기 싫은 마음은 여전한가 보다. 매일 아침 나도 학생들의 마음을 조금이나마 경험해 본다. 축 늘어진 몸을 이끌고 학교에 갈 준비를 마쳤다.

오늘따라 날씨가 꽤 추워진 것 같은 10월의 날씨였다.

학교에 도착한 나는 교무실로 바쁘게 들어가시는 선생님들을 지나치고 나만의 공간. 아지트인 상담실로 들어갔다. 나는 학교의 상담교사이다. 상담교사라는 꿈은 나의 어릴 적부터 꿈꿔왔던 소망이었다. 내가 어릴 때, 학생 한 명이 자살했다는 뉴스를 본 적이 있었다. 그때, 그 학생은 전국 대대로 뉴스에 보도되었다. 그때 이후로 나는 사람들의 어두운 마음속에 들어가 보려고 노력하였다. 사람들은 누구나 자신들의 내면을 가지고 있다고 생각한다. 이 학생은 내면이 많은 일들에 의해 칠흑같이 어둡게 칠해져 있었던 내면을 갖고 있었던 것이었다. 더 이상 그 학생처럼 사람들이 죽게 하고 싶지는 않기에, 나는 사람들의 마음속에 들어가려고 끊임없이 노력하였다.

'사람들의 마음속을 들어가려면 어떻게 해야 할까?'

사람들의 눈을 깊게 바라보기도, 사람들의 말에 집중하기도 하였지만, 마음속으로 들어가는 진짜 열쇠는 따로 있었다. 바로 사람들의 마음에 공감하는 것이었다. 나는 그들의 감정을 봄으로써 그들의 마음에 들어갈 수 있었다. 그렇게 나는 사람들의 마음속의 문을 열어주는 상담교사라는 직업을 선택했다.

그렇게 꿈꿔왔던 하나의 별이 지금의 상담교사라는 직업이 되게 만들어 주었다. 나는 학생들에게 자기 자신을 사랑하는 법. 자기 자신을 이해하는 법을 알려주고, 조언해 준다. 어쩌면 이 일은 인생이라는 길 위에 나타난 절벽을 겪은 학생들에게 뛰어내리면 다른 길이 생길 거라는 하나의 희망을 주는 일과 다르지 않을 것이라는 생각을 자주 한다.

상담실에 온 나는 곧바로 전날에 상담했던 학생들의 상담 일지를 훑어보았다. 각자 다 저마다의 이유로 상담실을 찾았던 아이들이었다. 그 아이들은 잘 지내고 있으려나, 이런저런 생각을 하던 참에 한 선생님이 나의 상담실에 들어오셨다. 내 친한 지인인 김희영 선생님이셨다. 내가 처음 이 학교에 들어왔을 때 나를 가장 옆에서 많이 챙겨주셨다. 김희영 선생님은 들어오시자마자 나의 안부부터 물어보셨다.

"주말 잘 보내셨어요? 주말은 항상 빨리 가는 것 같아요."

나는 누군가의 이야기를 들어주는 상담교사이지만, 그런 상담교사도 누군가가 자신의 이야기를 들어주는 시간이 오면 괜스레 마음이 따뜻해지는 것 같다. 나는 학생들의 치어리더이고, 김희영 선생님은 나의 치어리더가 아닐까? 잘 지냈냐는 안부 인사 하나만으로 나의 마음은 따뜻해졌다.

"선생님은 잘 지내셨어요? 맞아요. 주말은 항상 일찍 가네요. 그나저나 요즘 조금 추운 것 같아요."

이 이후 이런저런 이야기들을 나누다 보니 벌써 1교시가 시작할 시간이었다. 상담교사의 특성상 학생들은 점심시간이나 방과 후에 오다 보니 사실 학교에 일찍 오지 않아도 됐었을 것 같은 느낌이 들었다. 그렇게 학교가 끝나고 상담 일지들이 어느 정도 정리가 되던 그때, 상담실에 들어오는 한 명의 학생이 있었다. 굉장히 야리야리하게 생긴 한 명의 여학생이었다. 다른 학생들처럼 진로에 대한 고민이 있어 온 것으로 추측했지만, 그 학생의 입에서 나온 말은 내 추측을 뛰어넘었다.

“선생님, 살려주세요.”

그 아이는 곧 울 것만 같은 얼굴로 나를 바라보았다. 금방이라도 그 학생의 눈에선 눈물이 쏟아질 것만 같았다. 이런 학생들에겐 “왜 그러니?”라는 말보다 그저 가만히 바라보며 위로해 주는 게 더 현명한 선택이라고 생각하였다. 그래서 몇 분간 그 아이의 슬픔이 다 쏟아져 나올 때까지, 그 아이를 그저 바라보았다. 그 아이는 자신이 참아왔던 눈물을 다 흘리자 그때에서야 입을 떼기 시작했다.

“선생님, 다른 아이들도 지금 시기에는 다 힘든 건 알겠는데, 그런데,” 그 아이는 눈물이 다 나오지 못한 것인지 다시 눈물이 눈에 고인 채로 말하였다. “제가 지금 살기가 너무 버거워요. 왜 살아야 할지도 모르겠고, 사는 게 행복하지 않아요.”

마지막으로 말한 사는 게 행복하지 않다는 말엔 더 강조하여 말하였다. 이를 보니 왜인지 이번에는 이 아이의 사연을 억지로 꺼내게 하면 안 될 것 같았다. 그 아이에게는 힘든 일을 입에 꺼내는 것도 힘든 일일 것이기에, 굳이 힘든 일을 입 밖으로 꺼내게 하고 싶지 않았다. 그래서 나는 그 애의 마음 속 공간으로 들어가 보기로 하였다. 그 아이가 무슨 일이 있었기에, 어떤 생각을 하였기에 이러는지 알고 싶었다. 그렇게 나는 천천히 그 아이의 마음속 공간으로 들어갔다.

그 아이의 마음속은 이게 중학생의 마음속 공간이 맞나 싶을 정도로 어두운 공간이었다. 그런 어두운 공간에 한 아이가 몸을 움츠린 채 무섭다는 듯 덜덜 떨고 있었다. 당장이라도 그 아이를 달래주고 싶었지만, 이건 현실이 아니기에 그저 가만히 지켜볼 수밖에 없었다. 곧, 그 아이가 어딘가로 달려갔다. 아무것도 없는 깜깜한 공간을 달려 도착한 곳에는 익숙한 건물이 하나 보였다. 학교였다. 그 아이는 학교로 달려가고 있었다. 하지만, 그 아이의 표정이 심각했다. 마치 학교가 무섭다는 듯이. 그 아이의 행동을 관찰하고 있었던 나의 옆으로 한 아이가 지나갔다. 그 아이를 무시하는 표정으로. 그런 그 아이를 뒤로한 채 그 아이에 대해서 더 알아보기 위해 그 애의 마음속 공간 밖으로 나왔다. 그 아이에 대해서 더 알아야 이 아이의 고민을 알 수 있을 것 같았다.

정신없어 보지 못한 그 아이의 이름표를 보았다. '이시영'이라는 이쁜 이름이었다. 또한, 명찰의 색을 보니 3학년인 것 같았다. 그리곤 너무 울어 지쳐있던 시영이를 달래주었다.

"왜 사는지 모르겠다니, 그건 차차 알아가야지. 내가 도와줄게. 여기에서는 마음 놓고 울어도 괜찮아."

그러자 시영이는 처음에 들어왔을 때보다는 훨씬 더 편안한 표정을 짓고 있었다. 시영이의 마음속 공간을 다녀와서, 시영이에 대한 애정이 생긴 것 같았다. 하지만, 아직도 미스터리가 남아있었다. 왜 시영이는 다른 아이들에게 무시를 받았을까. 시영이는 어떤 아이였을까. 이런 궁금증들로만 가득한 채, 시영이와의 첫 번째 상담을 마쳤다.

2. 치어리더

"시영아, 그건 절대로 잘못이 아니야. 힘들면 울 수도 있고, 선생님에게 고민을 이야기하고 싶을 수도 있지. 시영아, 오늘은 선생님이랑 이런저런 이야기를 나눠 줄 수 있을까?" 다음 날, 나는 학교에 도착하자마자 곧바로 상담실로 들어갔다. 그리곤, 3학년 이시영에 대해서 조금 알아보았다. 3학년 4반 이시영. 나는 그 정도밖에 알아내지 못하였다. 그래서 오늘, 시영이와 이야기를 하며 시영이의 내면, 아니 마음속 공간에 조금 더 들어가 보기로 결심하였다. 시영이에게는 조금 힘든 일일지 모르지만, 알아야만 했다.

헬렌 켈러가 한 말 중에 '용기는 어려움을 극복하는 힘이다. 그리고 어려움을 극복하는 과정에서 우리는 성장하게 된다.'라는 말이 있다.

이 말 같이 시영이도 자신의 마음속 공간 안에 있던, 자신의 이야기를 들려주기 힘든 어려움을 극복하는 과정에서 성장했으면 한다.

바람이 선선하게 불던 그 날 오후였다. 시영이는 어제와는 달리 조금 차분해진 듯한 모습으로 상담실을 찾아왔다. 순수한 어린아이 같았던 어제와는 달리 오늘은 차가운 얼음 같았다. 시영이는 차분한 말투로 이야기를 꺼냈다.

"선생님, 어제는 죄송했어요." 시영이는 잠시 멈칫하더니 다음 말을 꺼냈다. "선생님께서도 당황스러우셨을 것 같아요. 선생님의 감정과 상황도 생각 안 하고 제 감정만 보여드린 건 죄송해요."

시영이는 어제 운 것이 자신이 저지른 큰 잘못인 듯 마냥 나에게 이야기하였다. 당연하게도, 자신이 힘든 것에 대해 선생님에게 말한 것은 잘못이 아니라고 생각했기에 시영이에게 조심스럽게 이야기를 꺼냈다.

시영이는 내 이야기를 조용히 듣더니 마지못해 끄덕이는 듯 하였다. 아이들에게 무시 받는 아이. 그건 무엇을 의미할까. 다양한 궁금증들을 가진 채 본격적으로 시영이와의 이야기에 집중하였다.

"시영아, 선생님은 어제 너와 잠깐 이야기를 나눈 뒤로 너에게 물어보고 싶은 질문이 참 많아. 그중에서 첫 번째로 네게 물어보고 싶은 질문이 있어. 네가 생각하는 이시영은 어떤 사람이니?"

나는 단도직입적으로 시영이에게 물어보았다. 시영이는 조금 뜸을 들이더니 말문을 떼었다.

"매일 노력은 하는데, 노력한 만큼의 성과가 나지는 않는 사람. 성공하는 만큼 행복하지는 않은 사람 같아요."

"최근에 시험 쳤잖아. 시험 잘 봤어?"

"1개 틀렸어요. 이번 시험 망한 것 같아요."

"잘 봤네! 선생님은 어렸을 때 시험 10개씩 틀리곤 했거든."

"저는 매번 100점이었는데 이번에 95점을 맞았어요. 이게 잘한 건가요?"

시영이는 조금 어이없다는 듯이 나에게 이야기하였다. 이 짧은 대화로부터 나는 시영이가 100점만 맞던 모범생이었다는 것. 시험 성적에 대한 스트레스가 있는 점 등을 예측할 수 있었다. 하지만, 이런 간단한 정보들로 시영이의 고민을 단정 지을 수 없었기에, 나는 다시 한번 더 시영이의 마음속으로 들어가 보기로 결심하였다. 그렇게 나는 눈을 감고 시영이의 마음속으로 다시 들어갔다.

여전히 시영이의 마음속은 어두컴컴한 방 안이었다. 나는 그 방 안에 움츠려 있는 시영이의 모습을 가만히 바라보았다. 순간적으로 눈물이 차올랐다. 이 아이가 얼마나 힘들었을까. 난 이게 허상임을 알면서도 그냥 아무 말 없이 안아주고 싶었다. 그렇게 나는 충동적으로 시영이를 꼭 안아주었다. 그러자 움츠려 있던 시영이는 벌떡 일어나더니 지난번처럼 어느 곳으로 달려갔다. 그렇게 달려서 시영이는 다시 다른 학생들이 무시하는 눈빛으로 쳐다보았던 장소로 향하였다. 여전히 학생들은 시영이를 무시하는 듯한 표정으로 쳐다보았다. 하지만, 모든 학생들의 표정이 똑같았다. 이를 뒤로 한 채 시영이는 또 끝없이 달렸다. 또 달려간 곳에는 100점 시험지들과 수없이 꽂혀 있는 공부 계획표들이 가득한 시영이의 방 안이었다. 그때에서야 나는 시영이가 어떤 지옥에서 살아왔는지 조금이나마 느낄 수 있었다. 시영이는 계속 100점 만을 맞아야 한다는 부담감. 또한 고등학교 진학을 위한 내신 준비라는 큰 절벽을 마주했던 것이었다. 그리고, 자신을 무시하는 듯한 눈빛들은 바로 자기 자신을 바라보는 시선들이었던 것이 아닐까? 시영이는 아마 자기 자신이 다른 사람들과 어울리지 못하고, 모두가 자신을 싫어한다고 생각했을 것이다. 시영이의 고민을 알게 된 나는 더 이상 시영이의 마음속에 있을 이유가 없다고 생각해 바로 시영이의 마음속에서 나왔다.

시영이는 나를 빤히 쳐다보고 있었다. 왜 이러는지 모르겠다는 듯이. 조금 생각을 정리한 후에 나는 말을 꺼내기 시작했다.

"시영아, 우선 내가 먼저 하고 싶은 말이 있어. 100점 못 맞아도 괜찮아. 너는 100점보다 가치 있는 사람이야. 시험점수가 네 인생을 판가름하지 않아. 그리고, 못해도 괜찮아. 실수해도 괜찮아. 너는 절대로 가치 없는 사람이 아니야. 그러니까 그런 생각은 하지 마."

나의 이 말이 끝나자마자, 시영이의 눈시울이 붉어졌다. 아마 이런 말은 처음 들었을 것이다. 그리고 곧, 눈물이 '똑'하고 떨어졌다.

"누가 보기에는 제가 얄미워 보이기도 하겠지만, 저는 100점이 꼭 필요했어요. 좋은 고등학교에 가야 좋은 대학교에도 갈 수 있고, 취업도 잘할 수 있다고. 저는 그렇게 믿었어요. 이번에 시험 성적 95점을 맞고, 순간적으로 무서웠어요. 제가 지금까지 믿어왔던 것들이 한 번에 전부 사라진 느낌이었어요. 그래서 선생님, 제게는 시험점수가 저를 판가름하는 요소였어요. 그런데, 제게는 선택지가 공부밖에 없는 것 같아요. 저는 운동을 잘하지도, 미술을 잘하지도, 그렇다고 친구들과 교우 관계가 좋지도 않아요."

시영이는 막바지에는 거의 울다시피 떨리는 목소리로 이야기하였다.

시영이는 마치 안에 있는 것을 토해내는 것처럼 자신의 안에 있었던 모든 짐 들을 다 토해내었다.

"시영아, 너에겐 많은 갈림길 들이 있어. 공부는 그 선택지들 중 하나고. 그러니까. 공부가 정답은 아니야. 운동선수도 될 수 있고, 그들을 응원해 주는 치어리더도 될 수 있어. 혹은 선생님처럼 누군가를 응원해 주는 치어리더도 될 수 있고. 아니면, 요리사처럼 음식으로 누군가의 하루를 즐겁게 해 주며 그 사람을 응원해 주는 치어리더가 될 수도 있어. 선생님은 그중에서 너희 같은 학생들은 응원해 주는 치어리더가 된 거야. 그러니까 시영아 선생님은 언제나 너를 위한 치어리더가 될게. 힘든 일이 있으면 언제든지 선생님에게 와. 선생님이 너를 위한 치어리딩을 해줄게."

나는 이 말을 하고 바로 다시 시영이의 눈을 쳐다보았다. 놀랍게도 시영이의 눈 속에는 전에 볼 수 없던 별이 자리 잡고 있었다. 아주 예쁘게. 밤하늘을 수놓았다. 별들은 아주 밝은 빛들을 내며 시영이의 마음속을 꾸며주고 있었다. 이때 알았다. 시영이는 아주 밝은 빛들을 낼 수 있는 아이였다고, 자신이 스스로 어두운 방 안을 용감하게 빛낼 수 있는 용기를 가진 아이였다고, 난 이 순간 이 아이의 영원한 치어리더가 되겠다고 다짐했다. 그러면 이 아이의 모든 순간은 별처럼 빛날 것이다.

3. 희망을 밤하늘에 수놓는 일

수많은 달이 떴다 지고, 푸르른 식물들이 다시 자라나고, 다 익은 벼가 추수될 무렵, 파란 가을 하늘을 보니 몇 년 전에 졸업한 시영이 생각이 문득 들었다. 이제 시영이는 어엿한 성인으로서 큰 사회의 일원이 되었을 것이다. 시영이는 어떤 사람이 되었을까.

사회에서 누군가의 치어리더가 되었을 시영이의 모습이 궁금하였다.

그래서 나는 내 인맥을 총동원하여 시영이의 연락처를 지인들에게 물어보기 시작했다.

그리고 수소문을 거듭한 끝에, 시영이의 연락처를 얻게 되었다.

"시영아, 안녕 선생님이야. 상담 선생님. 선생님 기억나?"

"어 선생님? 제 전화번호는 어떻게 아셨어요?"

"너 보고 싶어서 선생님 친구들한테 엄청 물어봤지. 이번 주말에 시간 돼? 선생님 너랑 한번 만나고 싶은데."

"당연하죠! 선생님. 그럼 이번 주말에 학교 앞 카페에서 봬요."

시영이와 만날 생각을 하니 매우 설레었다. 빨리 이번 주말이 오기를, 건강하게 잘 자란 시영이의 모습을 볼 수 있기를 간절히 바랐다.

가을바람이 선선하게 내 피부에 닿던 주말 점심. 나는 상쾌한 바람을 맞으며 약속 장소로 걸어갔다. 걸을 때마다 낙엽이 떨어지고, 주위에는 솔방울들이 떨어져 있던 것을 보아 가을이 다시 찾아온 것 같았다. 드디어 약속 장소에 도착했다. 내가 약속 시간보다 한참 이르게 온 터라, 아직 시영이는 오지 않았다. 그래서 나는 내가 마실 커피 한 잔을 주문해 자리로 돌아왔다. 믹스커피를 먹던 나에게는 조금 썼지만, 마실만 했다. 그렇게 한적한 가을을 만끽하던 그때, 한 사람이 나에게 걸어왔다. 그리고는 나를 알아봤는지 나의 얼굴을 바라보았다.

"선생님……. 맞으세요?"

나는 반가움에 시영이의 이름을 크게 부르고는 잘 자란 시영이의 얼굴을 몇 초간 바라보았다. 시영이는 학교에 있었을 때와는 다르게 얼굴에 미소가 가득했다. 몇 분 뒤 시영이의 음료까지 주문해 주고, 음료를 챙겨 다시 돌아온 후에야, 대화가 시작되었다.

“시영아, 어떻게 지냈어?”

“선생님! 저도 선생님이 되었어요.”

“진짜로? 왜?”

“선생님께서 하신 말씀 중에 ‘선생님은 학생들을 응원해 주는 치어리더이다’.라고 말씀하신 게 인상 깊었어요. 저도 선생님께 큰 도움을 받았어서 그 도움을 나와 같은 학생들을 응원하는 데에 쓰고 싶다는 생각을 많이 했어요. 그래서 선생님과 같은 상담교사가 되었어요!”

확실히 지금 말을 하고 있는 시영이는 학창 시절 때의 시영이와는 전혀 다른 사람이었다. 조금 더 따뜻하고 자신에게 인자해진 사람이 되었달까? 그런 시영이의 모습을 보니 괜스레 뿌듯했다.

“지금 학교생활은 재미있어? 선생님은 출근할 때 침대가 선생님을 끌어안는 것 같던데.”

“저도 그래요. 학교 나가는 게 조금 힘들더라고요. 근데 학교에서 학생들과 얘기하다 보면 오길 잘했다는 생각이 많이 들어요. 예전의 저와 같은 학생을 만난 적이 있었는데, 그때 상담을 하고 바뀐 그 학생을 보니까 한 사람의 행복을 지켜낸 것 같아 뿌듯했어요. 저도 그 아이의 치어리더가 되었죠.”

그 이후 우리는 많은 대화를 나누었다. 남자친구 얘기부터 현재 시영이가 갖고 있던 고민들까지. 시영이는 내면이 많이 탄탄해진 것 같았다. 별처럼 빛나고 있는 시영이는 이제 다른 학생들의 별을 밝혀주고 있었다. 조그마한 성냥을 가지고 바람이 휩쓸리고 있는 불꽃에 다시 불을 붙여 준 것이다. 시영이와 같은 학생들의 영원한 치어리더인 나는 언제나 시영이와 학생들을 위해 치어리딩을 해 줄 것이고, 시영이는 예전의 자신과 같은 학생들에게 치어리딩을 해 주는, 다른 학생들에게 별로 수놓아진 밤하늘을 선물해 주는 치어리더가 되어 많은 학생들의 마음속에 별처럼 빛나는 희망을 수놓아줄 것이다.

전지적 책 시점

방승주

나만의 인생을 만들고,

나만의 이야기를 만드는 청소년.

그곳에, 자신의 이야기를 말하는 책이 있었다.

신나게 노는 한 아이가 소리쳤고,

이야기를 말하는 책을 안타깝게 바라보는 다른 책들도 있었다.

그 아이의 엄마도 사납게 울으며,

모든 것을 다 안다고 주장하는 한 물건이 침묵했다.

이 이야기는, 한 책에서 출발한다.

이 세상의 모든 책들은 자신의 이야기가 세상에 널리 퍼지고 읽히기를 원한다. 그 책도 마찬가지다. 사람들에게 읽히고 싶어 한다. 미친 듯이 읽히고 싶어 한다. 이 세상에 나와서 사람들에게 읽히는 것은, 정말로 영광스러운 일이니까. 그래서 우리는 공장에서 만들어진 뒤 서점에서 사람들에게 판매되고 읽히기를 기다린다.

여기, 이 서점의 '이 책'도 다른 사람에게 읽히기를 기다리고 있다.

'이 책'은 기다렸다.

기다리고, 기다렸다.

다른 책들과 작별 인사를 하고, 신입들과 인사할 때까지, 기다렸다.

사람들이 자기 앞을 지나갈 때, 기대했다. 실망했다. 증오했다. 슬펐다. 그리고,

기뻤다.

마침내 자신도 팔린 것이다.

'이 책'은 나도 제대로 읽힌다는 생각에 들떠 있었다.

물론 승준을 만나기 전까지의 얘기다.

승준은 생각했다.

'왜 엄마는 책을 사 온다는 거지? 책이 나에게 어떤 도움을 줄까?'

승준은 핸드폰을 켰다.

'게임이나 하자.'

'이 책'이 승준의 엄마와 함께 집으로 왔다.

하지만 '이 책'은 서점과의 분위기와 다르다는 것을 느꼈다.

'뭔가 이상해……. 서점 사람들처럼 순수한 감정이 느껴지지 않고… 심지어 책의 냄새조차도 느껴지지 않아.'

승준은 엄마가 현관문 비밀번호를 누르는 소리를 듣고 재빨리 게임을 껐다. 그리고 책상에 앉아 책을 읽는 척을 했다.

승준의 엄마가 승준의 방문을 열었다.

"승준아 뭐하니?"

"책 읽고 있잖아."

"너 또 게임했지?"

'이 책'은 생각했다.

'승준이는 참 게임을 좋아하는 아이구나…….'

승준은 '이 책'을 보고선,

"엄마, 그 책 뭐야? 새로 사 온 거야?"

"얘가 정말, 게임했냐니까 말을 돌리고 있네? 했어, 안 했어?"

"했어. 근데 그 책은 뭐야?"

"뭐? 했다고? 엄마가 하지 말라고 그렇게 얘기 했었는데! 엄마 말을 뭐로 들은 거야?"

"그래, 했어. 내가 게임 좀 한다는 게 그렇게 잘못한 일이야? 나도 좀 자유를 즐기면서 살고 싶다고. 나중 일은 내가 알아서 다 할 테니까 좀 내버려두라고!"

"알아서 하긴 뭘 알아서 해. 너 중간고사 성적 기억 안나니? 기본만 하자고, 기본만. 그런데 그것도 못하니까 하는 말이잖니? 엄마가 다 너를 위해서……."

“이제 책 읽는 것도 지겨워.”

승준은 그 말을 남기고 밖으로 나간다.

승준의 엄마는 뒤늦게 승준을 따라가 보지만, 이미 너무 늦었다.

‘이 책’은 바닥에서 생각했다.

‘뭐지? 무슨 상황인거지?’

‘이 책’은 지금 상황을 정리해 보았다.

‘승준이는 게임을 좋아하고, 중간고사를 망친 것 같고... 엄마랑 사이가 안 좋은 것 같네. 그리고 무엇보다도…….’

“책을 싫어하지.”

누군가가 말했다.

‘이 책’은 말했다.

“누구지? 누구세요?”

“나야, 거기 위에.”

실제로 어떤 물체가 서서 ‘이 책’을 바라보고 있었다.

“당신은 누구죠?”

‘이 책’이 말했고,

“그래, 서로 통성명부터 하자. 나는 핸드폰이라고 해. 너는 누구니?”

핸드폰이 말했다.

“저, 저는 ‘책’이라고 합니다.”

“책? 우리 집에 또 새로운 책이 왔나 보네. 보아하니, 너 소설책 같은데? 안타깝지만, 너는 이제 살날이 얼마 없…….”

"잠깐만요. 무슨 일인데 그래요?"

"아, 너는 모르겠구나. 승준이는 너도 알다시피 책을 굉장히 싫어하는데, 너는 책이잖아. 그러니까 그런 거지."

'이 책'은 다른 곳을 둘러보며 말했다.

"그럼 여기에 다른 책은 없는 건가요?"

그러자 핸드폰이 말했다.

"아니, 책이 더 있긴 한데, 서재에 많이 있지. 다른 곳에는 없어. 서재마저도 많이 비었긴 하지만……."

"그러면 일단 가보죠."

그렇게 '이 책'과 핸드폰은 서재로 가게 되었다.

"오오……. 여기는 책 냄새가 정말 많이 나네요!"

"그래? 난 책 냄새 별로던데……. 나무 냄새가 나고, 잉크 냄새도 나서 별로야……. 아무튼, 어이, 책들! 일어나 봐! 신입 왔어!"

그러자 책들이 말을 하며 일어났다.

"아직 일어날 시간이 아닌데……."

"뭐야, 신입이라고?"

"신입?"

'신입'이라는 말에 서재의 책들이 한순간에 조용해지고 '이 책'

을 바라보았다.

“음……. 그러니까……. 안녕하세요?”

다들 ‘이 책’의 말에 경청했다.

“저는……. 소설책입니다.”

그러자 서재의 책들이 한숨을 쉬었다.

“하… 또 소설책이라니…”

“이것 참 안타깝게 됐구만.”

‘이 책’은 뭔가 잘못됨을 느꼈다.

“잠시만요, 아까 핸드폰도 그러든데 도대체 소설책이 뭐가 문제예요?”

그러자 서재의 책들이 눈치를 봤다.

“내가 말하지.”

“어, 어르신!”

주변에 있던 책들이 뒤로 물러서며 자리를 터 주었다.

‘이 책’이 핸드폰에게 물었다.

“저분은 누구시죠?”

“서재의 왕, 우리말로는 ‘고전’이라고도 말하지.”

그 고전이 '이 책'에게 다가오고 있었다.

"소설책은, 그 애가 찢는다."

그러자 분위기가 숙연해졌다.

"나보다 나이가 많은 소설책 형님들도 그 애에게 당했었지……."

그러고 보니 서재에는 소설책이 서재의 왕과 '이 책'밖에 없었다.

"자네는, 잘못 들어온 걸세."

그로부터 1주일이 지났다.

나는 다른 책들과 친해져 나를 걱정해주는 책들이 생겨났고, 핸드폰과도 친한 친구로 지내고 있다. 어르신은... 책에 대한 책생 조언도 많이 해주고 계신다. 승준이는 여전히 난폭하고, 책을 읽지 않고 있다. 승준이의 엄마와의 갈등이 더 심해지고 있는 듯하다…….

그리고, 마침내 결전의 날이 찾아왔다.

그 날도 승준이가 화를 내며 핸드폰과 같이 서재로 들어왔다. 아마 책과 관련하여 싸운 것 같았다.

나는 핸드폰에게 무슨 상황인지 물어봤으나, 핸드폰은 듣지 못했다.

왜냐하면 승준이가 말을 했기 때문이다.

승준이는 핸드폰을 책상에 두고서는,

“어떻게 엄마는 나한테 그럴 수 있지? 나도 한 사람으로서 존중 받을 권리가 있단 말이야! 나는 나 하고 싶은 대로 살고 싶은데, 왜 그렇게 재미없는 책을 읽으라는 건지 모르겠다…….”

서재에 있던 다른 책들도 숨을 죽이며 승준의 말에 귀 기울이고 있었다.

“아 진짜 짜증나!”

그러자 눈앞에 있던 책상 위의 서재의 왕, 어르신을 들며 말했다.

“진짜로 책은 왜 읽어야 하는지 모르겠다.”

그곳에, 자신의 이야기를 말하는 책이 있었다.

그러고는 어르신을 반으로 죽 찢은 다음 밟기 시작했다.

"왜! 왜! 왜 너 같은 애들 때문에 내가 고통 받아야 한다는 건데!"

신나게 노는 한 아이가 소리쳤고,

다시 반으로 찢고, 다시 반으로 찢으며, 형대를 알아볼 수 없을 때까지 찢고 밟았다.

내가 나가려고 하자, 옆에 있던 수학책이 나를 말렸다.

'우리의 정체를 들키면 안 돼.'

그녀의 눈빛이 그렇게 말하고 있었다.

'하지만 저렇게는 두면 안 돼는 거잖아.'

내가 말했다.

이야기를 말하는 책을 안타깝게 바라보는 다른 책들도 있었다.

그리고, 승준이가 라이터를 꺼내든 순간,

"다신 보지 말자."

화재로 이어질 수 있는 위험한 상황이었다.

내가 그녀의 손을 뿌리치고 나가려는 순간,

"승준아! 뭐하는 거야!"

그 아이의 엄마도 사납게 울으며,

승준의 엄마가 왔다.
승준은 엄마에게 매달리며 울었다.

"어, 엄마. 나, 채, 책 읽기 시, 싫어."
그러자 승준의 엄마가 말했다.
"그래그래, 말 잘했어."
그러고는 바닥에 놓인 라이터와 몽탱이로 찢어진 책을 보고 혼잣말을 했다.

"정말 다행이야."

책상에 있던 핸드폰이 그제서야 참고 있던 숨을 쉬었다.

모든 것을 다 안다고 주장하는 한 물건이 침묵했다.

그로부터 한 달이 지났다.
많은 것이 변했다.
승준은 책을 열심히 읽어 학교에서 알아봐주는 모범생이 되었고,

승준의 엄마도 강사가 되어 '책은 왜 읽어야 하는가'를 주제로 강의하고 토론하고, 책도 쓴다.

나? 나는…….

수학책과 핸드폰과 수다를 떨고 있다.

"아니, 그래서 승준이가 왜 저렇게 변한건데?"

수학책이 물었고,

"승준이도 어렸을 때는 책을 좋아했었는데, 내가 생기면서 더 재미있는 놀거리가 생겼지. 그래서 책과 멀어지게 되고, 승준의 엄마가 뒤늦게 책을 읽으라고 말 했지만, 승준이는 그게 스트레스가 된 거지."

핸드폰이 말했다.

"그래서? 승준이가 왜 저렇게 모범생이 된 거냐니깐?"

다시 수학책이 물었고,

"아이 거참, 책 읽어서 그렇다잖아!"

내가 말했다.

"그니까, 책 읽어서 그런건데 왜 그런거냐고?"

"그건 나도 모르지. 나라고 알겠냐?"

"왜 갑자기 시비야? 너 오늘 혼나고 싶……."

중간에 핸드폰이 말을 끊었다.

"너희들은 어떻게 만나기만 하면 그렇게 싸우냐? 아주 시끄러워 죽겠어. 그리고 조용히 해 봐. 승준이 엄마가 라디오에서 인터뷰하니까! 수학책 네가 궁금해하던 것도 알 수 있겠는데?"

이어서 승준의 엄마가 라디오에서 라디오 DJ와 인터뷰를 한다.

“자 오늘의 ‘요즘 떠오르는 세상의 혁명가들’은요, ‘책의 중요성’으로 떠오르고 있는 이승준의 어머니, 곽혜영님 모셔봤습니다. 반갑습니다!”

“네, 반갑습니다. 책의 혁명가, 곽혜영입니다.”

“어우, 자기소개도 혁명가처럼 하시네요. 그럼, 본론으로 넘어가서 첫 번째 질문 하겠습니다. 어쩌다 책을 주제로 떠오르신 건지 설명해주실 수 있나요?”

“음, 제 아들이 어렸을 땐 책을 좋아했었거든요. 그러다 핸드폰이 생기면서 자연스럽게 자유시간을 핸드폰 쪽으로 쓰게 되었고, 책을 많이 못 읽게 되었거든요. 그래서 독해력이 떨어지고, 당연히 성적도 떨어졌죠. 왜냐하면 교과서랑 문제를 읽어도 이해가 되질 않으니까! 그래서 저는 심각성을 느끼고 억지로라도 책을 읽게 시켰는데, 그게 아들에게는 스트레스가 되었던 모양이에요. 그래서 다시, 처음부터 천천히 독서하는 습관을 기르게 되었고, 결과적으로는 독해력이 다시금 돌아와 성적도 올랐죠. 저는 이러한 부분에서 다른 학부모들도 이 방법을 알았으면 해서 이렇게 영상도 만들고, 책도 내게 된 거죠.”

“아하, 그렇군요. 책을 읽어서 독해력을 키워서 어떤 글을 읽어도 이해가 되는 힘을 기른다라……. 정말 좋은 것 같네요! 자, 그럼 두 번째 질문입니다. 책을 읽는 시간에 차라리 공부를 하거나 운동을 하지! 라고 생각하는 사람들이 있는데, 이에 대해서 설명을 해주실 수 있나요?"

"물론 공부랑 운동을 하는 것도 중요하죠. 어쩌면 독서하는 것보다 좋을 수 있습니다. 그런데, 공부랑 운동은 우리가 어떻게 알게 된 것일까요? 먼저 공부부터 보면, 인터넷 강의를 듣거나 실제로 체험해서 공부하는 학생들도 있겠지만, 그러한 공부도 '책'이 없으면 제대로 된 '공부'가 되지 않습니다. 그리고 운동도 마찬가지입니다. 아주 오래전에, 초기의 운동이 탄생하고 그것을 지금까지 시간이 흘러도 우리가 아는 이유는 뭘까요? 바로 '글로 기록'되기 때문입니다. 사람에서 사람으로 모두 다 행동으로 기억될 수는 없듯이, 종이에 기록해야만 그것이 전파도 되고, 실용성도 더 높기 때문이죠. 결국 모든 것들은 '책'에서 시작된 것이니 책을 열심히 읽어두면 나중에 어떤 글들을 보더라도 쉽게 이해할 수 있으면, 그것만큼 값진 게 없죠."

"역시 전문가다우십니다! 그럼 마지막, 세 번째 질문으로, 독서는 우리에게 어떤 이로운 점이 있을까요?"

"앞에서도 말했다시피 글을 읽으면 첫 번째로, 독해력이 좋아집니다. 어떤 문장을 읽고 이해한다면, 그것만큼 이로운 게 또 없죠. 두 번째로, 감정이 풍부해집니다. 소설 같은 각 인물 간의 갈등요소가 들어가는 책들은 인물과 인물 사이의 갈등에서 겪는 일들을 공감해 정서적으로 발달되거나, 심리적인 부분에서도 좋은 영향이 있습니다. 그리고 세 번째로, 상상력이 풍부해집니다. 소설 속에서는 작가 마음대로 모든 일을 펼칠 수 있습니다. 그만큼 자유롭다는 뜻이죠. 내가 원하던 것을 이루게 할 수도 있고, 그리웠던 존재를 다시 만나게 할 수도 있습니다. 이처럼 무궁무진한 세계에서 생각한다면 상상력이 발전하지 않을 수 없죠. 그래서 아직은 불가능하지만 미래의 발전된 사회에서는 이룰 수 있는 것을 상상해 사회에 도움이 될 수 있습니다. 네 번째로, 인격 형성에 도움을 줍니다. 자유로운 독서의 세계에서 많은 것들을 만나고 경험하며 세상을 알아갑니다. 그 과정 속에서 좋아하는 것을 찾아 인격을 형성할 수 있습니다. 덤으로, 꿈도 찾아서 나만의 인생 길을 개척해 나갈 수 있겠네요."

"독서의 여왕, 곽혜영님, 질문은 여기까지입니다. 인터뷰를 진행하는 동안 질문에 성실하게 답해드린거, 너무 감사하고요, 혹시 마지막으로 하고 싶은 말씀이 있나요?"

"음, 독서를 하는 사람에게 하고 싶은 말이 있습니다.

'당신이 어떤 책을 읽든, 글한 당신은 어제의 당신보다 나아질 거'라는 것을요. 우리 앞으로도 열심히 책 읽어봅시다! 아 참, 그리고……. 책을 소중히 대해주세요. 혹시……. 책들에게도 자아가 있을 수도 있잖아요."

"책들에게 자아가 있더라……. 그것 참 흥미로운 발상이시군요. 이것도 독서를 많이 해서 생긴 상상력 덕분인가요? 저도 오늘부터 책을 열심히 읽어야겠습니다.

그럼 오늘 라디오 방송은 여기까지고요, 함께 곽혜영님의 말씀을 들은 분들, 앞으로 열심히 독서 활동 해봅시다. 앞으로 독서의 왕이 되는 날까지, 여기는 JBS 방송국 성시경이었습니다. 감사합니다!"

"감사합니다."

한편, '이 책'과 수학책, 핸드폰은…….

"뭐야, 곽혜영님 우리가 자아가 있다는 것을 어떻게 알았지?"

"그거 다 너 때문이잖아. 이제 어떡할거야!"

"뭘 어떡하긴 어떡해. 그냥 되는대로 있어야지. 그리고 나 이제 책 읽을거야. 조용히 해!"

"핸드폰이 다 알면서 뭔 책을 읽냐."

"넌 뭐 이런 걸로 시비야!"

햇살이 따뜻한 어느 날이었다.

독토리 후기

space:

빈 공간,

그리고 무엇이든 될 수 있는 우리들

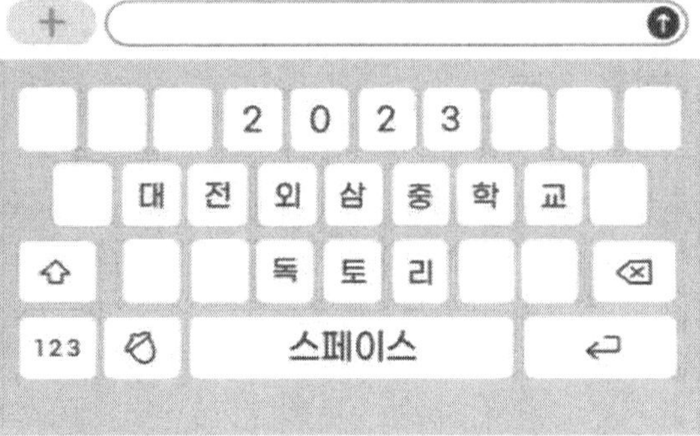

1학년 독토리

방승주: 나는 책을 만들고 싶었다. 나만의 책을 만들어 남들에게 내 글을 읽고 감동하는 모습을 눈을 감고 상상하며 그 기분에 젖어들었었다. 하지만 어떤 출판사가 평범한 중학생의 글들을 믿고 출판을 시켜줄까. 이런 생각 때문에 잠깐 접어두었었다. 그런데 박수진 선생님께서 독토리 동아리에 들어가보하고 하셨다. 나는 이끌리듯이 박주희 선생님을 찾아갔고, 그것이 박주희 선생님과의 첫 만남이었다.

독토리 활동 중 버찌책방에 가 읽고 싶었던 책을 읽고 서점이라는 누군가에게 행복을 가져다주는 공간에 대해 깊이 알게 되었다. 그 밖에도 여러 글쓰기 활동, 책을 집필하는 활동을 했다. 책을 집필하는 과정에서 어떻게 해야할지 어려움을 겪기도 했고, 막막함도 느꼈다. 글을 쓸 때에도 머리가 새하얘지면서 또다시 막막함을 느꼈다. 하지만, 내 글을 읽고 감탄할 게 분명할 친구들을 생각하니 쓸 힘이 생기기도 했다(왜인지는 모르겠지만 리액션이 확실하지 않았다). 그래서, 하나의 단편 소설을 완성했다. 그것이 <전지적 책 시점>이다. 이 단편 소설은 내가 좋아하는 <전지적 독자 시점>이라는 책 제목에서 패러디한 것이다. 책의 시점으로 본 전지적 책 시점. 은근히 멋진 것도 같다.

마지막으로, 빨리빨리 원고를 안 내도 참고 기다려준 독토리 부원들, 어리바리한 저를 받아주시고 멋진 글을 쓸 수 있게 도와주신 박주희 선생님께 감사를 드립니다.

임지환: 이 동아리를 거쳐, 저는 독서를 좋아하게 되었습니다. 원래는 글씨라는 걸 쓰기를 싫어하는 저였으나, 이 동아리를 거쳐 글쓰기를 좋아하게 되었습니다. 이 동아리를 선택하길 잘했습니다. 이 동아리를 통해 제 마음의 안식을 얻었고, 새로운 취미 또한 가지게 되었습니다. 끝으로, 동아리 지도 선생님께 감사드립니다.

지희수: 독토리에 들어와서 평생 기억에 남을 소중한 기억들을 만들어서 좋았다.

최희윤: 나는 책을 읽는 것을 좋아해서 독토리에 들어왔는데 선배들과 친구들과 함께 처음으로 책도 만들어보고 글을 써봐서 정말 즐거웠고 좋은 추억을 만든 것 같다.

2학년 독토리

공예주: 글을 쓰면서 많이 배웠고, 많이 늘었고, 많이 성장했던 것 같다. 앞으로도 항상 책과 글과 독토리와 함께하는 나의 공간이 이어지기를 바란다.

김주영: 평소에 글을 쓰는 것을 좋아해서 일기 쓰는 것을 취미로 두고 있다. 독서토론동아리, 독토리에 들어와서 글을 써보기도 하고, 책에 관해 함께 이야기를 나눠보는 그 시간들이 나에게 너무 소중했던 것 같았고 즐거웠고 행복했다.

김지수: 독토리 활동을 하면서 평소에 잘 안 쓰던 글을 써볼 수 있어 좋았고, 서점에도 가고 책에 관련된 활동도 많이 해볼 수 있어 재미있었습니다. 청소년 시절의 한 즐거운 추억으로 기억 속에 남을 것 같습니다.

김윤아: 책을 읽어 보기만 하고 직접 책을 써 본적은 없었는데 독토리를 통해서 책을 만들어보니 좋았다. 그리고 독토리를 통해서 버찌책방을 가보니 처음으로 독립서점이란 것을 알았다.

박세연: 안그래도 좋아하던 책을 사랑하게 된 시간

매번 이번주는 안하나 하고 기다리던 시간

나만의 이야기를 적어나간다는 자부심을 가질 수 있던 시간

박지민: 모든 것은 완전하지 않다. 모든 것은 영원하지 않다. 하지만 나와 너만은 영원하길 바랐다. 서로를 위하고 감싸주고 안아주고 서로를 위해 있어주는 나와 너. 이 시 한편에 내 바람이 다 드러나기를 바란다. 서로가 필요한 이들이 이 시를 읽고 서로를 더 아끼고 소중히 여기고 돈독해지길 바란다. 그리고 내 욕심이 아니면 내가 생각하는 우리의 우정도 네가 느끼기를 바란다. 어쩌면 너도 지금 느끼는 것일 수도 있을까? 세상에 하나뿐인 친구에게.

오예은: 독토리로서 새로운 경험을 많이했습니다. 글 쓰는 게 그렇게 어려운가? 싶었던 저였는데 독토리를 하면서 생각이 많이 바뀌었어요. 이렇게 책까지 내고, 재미있는 경험도 많이 했네요. 또 올게요!

오은하: 글 쓰는 게 좋고, 책이 좋아서 관련 동아리를 찾아보다 독토리에 들어오게 되었습니다. '책'을 만든다는 책임감과 설렘이 공존하기에, 독토리에 들어오기까지 많은 고민을 했습니다. '도전할 수 있을 때 하자'라는 마음으로 독토리 활동을 열심히 했어요. 내가 쓴 글이 차곡차곡 쌓인다는 게 설레기도, 뿌듯하기도

하더라구요. 소중한 추억이 생긴 것 같아 기쁘네요.

🖐오현서: 내가 글을 많이 쓰지는 못했지만 내가 쓴 글이 있는 책을 출판할 수 있다는 것이 좋은 경험이 된 것 같았고 비록 동아리 활동이었지만 한번도 가보지 못했던 독립서점도 가보고 동아리활동을 통해 책에 대해 조금이라도 관심을 가지게 된 것 같아서 뜻깊고 재미있었다.

🖐이민주: 평소에 책에 관심이 없었는데 독토리를 통해 처음으로 책방도 가보고 여러 종류의 책들도 접하게 되서 좋았던 같고, 시랑 수필도 써보고 책도 만들고 평소 쉽게 해보지 못 했던 걸 해볼 수 있다는 점이 인상깊은 경험이 될 것 같다!

🖐이서영: 이 동아리가 아니였다면 한번도 해보지 못했을 책을 만든다는 경험을 하게 되어 설레고 재미있었다. 나이가 들어서도 기억에 남을 추억을 쌓은 것 같다.

🖐이서하: 솔직히 말해서 작년에도 했던 동아리를 올해도 하고 있을 줄은 몰랐다. 새로운 해가 찾아오고 동아리를 모집하는 기간이 되었을 때, 여러 가지 흥미로운 동아리들은 내 눈을 사로잡았다. 게다가 작년 1년간 함께 했던 3학년 선배들은 졸업해서 떠나고, 친구들은 다른 동아리로 가겠다며 작별인사를 건넸으니

더욱더 갈등이 커졌다. 그러니까, 동아리를 계속할지, 아니면 다른 동아리에 새로운 멤버로 합류할지에 대한 갈등 말이다. 그러나 결국 나는 독토리를 선택했다. 들어가지 못한 과학 동아리에 대한 미련이 넘실거렸지만 나는 스스로를 다독였다. 책에 넣기 위한 글을 쓰면서 키보드를 두드리는 동안 의도치 않은 데자뷰를 느꼈다. 지겹고, 힘들다는 감정이 고개를 들지 않았다고 하기에는 거짓말일 테지만, 완성된 글을 보았을 때는 그 부정적인 감정들보다 훨씬 큰 뿌듯함이 느껴졌다. 그래서 나는 내가 글을 쓰는 일을 즐긴다는 것을 부정할 수 없었다. 더해서 아마 앞으로도 즐거울 테고, 내년에도 이 동아리를 계속할 것 같다고 나지막이 짐작했다.

이지윤: 처음으로 책을 만들어 보는 거라 조금 두려웠기도 하고 하면서도 과연 이게 완성이 될까 의문을 가지기도 하였지만 점차 차근차근 다함께 완성을 해나가며 뿌듯함이 샘솟는 느낌이 들었다. 한 프로젝트를 마무리하는 느낌은 언제나 후련한 것 같다.

이효주: 학교에서 글을 쓰거나 시를 쓰면 항상 주제가 있어서 내가 원하는 걸 쓰지 못해서 아쉬웠는데 독토리에서는 내가 원하는 주제로 책을 만들게 되어서 정말 좋았고 다신 겪어보지 못할 경험을 만든 거 같아 행복했다.

임채율: 평소에 글 쓰는 걸 좋아했다. 글을 쓰는 것으로 인해 나라는 사람의 뼈대가 하나 하나 쌓여가는 느낌이 들었다. 그래서 나에겐 이런 시간이 특별했다. 나를 한층 알아가고, 내가 쓴 글로 인해 나 스스로도 치유받을 수 있던 잊지 못할 기억으로 남아 행복한 시간이었다.

정재은: 처음으로 책을 만드는 과정을 직접 체험해보고 알 수 있어 좋았다. 처음으로 가본 책방에서 더 많은 책을 알 수 있었다.

정진현: 일 년 가까이 차곡차곡 모아둔 도토리를 겨울에 즐겨먹듯이, 저희 독토리가 일 년 간 써내려간 짧고 긴 글들이, 올 겨울, 하나로 모였습니다. 한 해동안의 우리들의 이야기를 이제 하나하나 즐길 생각에 정말 설레네요! 방구석에 콕 박혀서 즐겁게 읽어보겠습니다. 일 년 동안 부지런히 우리의 도토리(글)를 모으고 엮은 선생님과 독토리 부원들에게 감사하고 수고하셨다고 전해드리고 싶습니다.

3학년 독토리

정여진: 독토리 활동 중에 기억에 남는 건 회장을 뽑을 때였다. 즉흥적으로 나가서 말도 더듬더듬했던것 같은데 의외로 쟁쟁한 후보들을 제치고 내가 돼서다. 추측건대 언니/누나 같은 사람이 되고 싶다가 주요 요인이지 않을까…….

다음으로 기억나는 건 서점에 간일이다. 꽤 먼 길이여서 조오오금 힘들었다.

기억나는 건 이 정도인 것 같다.

마지막으로 후배들에게

회장으로서 많은 걸 하지 못해서 미안하다. 얼마나 동아리 활동이 남았는진 모르겠으나 남은 기간 동안은 회장으로서 최선을 다 해볼게.

허서연: 시는 겉으로 보면 선뜻 다가가기 어려운 장르이지만 막상 계속 읽다 보면 쉽게 공감이 갈 수 있는 장르이다. 나라는 물컵에 시라는 물이 담겨 하나의 이야기가 완성되는 것이 시라고 생각한다. 내 시가 여러분의 물컵에 잘 담겨서 멋진 이야기가 완성되길 바란다. 중학교 마지막을 독토리와 함께해서 정말 좋았다.

스페이스

발 행 | 2023년 12월 15일
저 자 | 독토리 (대전외삼중학교 독서토론동아리 23인)
| 편 집 정진현, 임채율, 정여진
| 디자인 이서영, 공예주, 오예은, 김주영
펴낸이 | 한건희
펴낸곳 | 주식회사 부크크
출판사등록 | 2014.07.15.(제2014-16호)
주 소 | 서울특별시 금천구 가산디지털1로 119 SK트윈타워 A동 305호
전 화 | 1670-8316
이메일 | info@bookk.co.kr

ISBN | 979-11-410-5924-8

www.bookk.co.kr